# 未来予想ストーリー

## 企業の成長編

笹川俊之
Toshiyuki Sasagawa

Parade Books

株式会社トレンドアップは、会社設立以来、がむしゃらに頑張り、また運も良く、ゼロ金利政策などの低金利を上手に利用し、売上三〇〇億円まで伸ばしてきて中堅企業となりましたが、その後足止まりしました。これはその中堅企業から個々の社員の力を結集し未来を大胆に予想して大企業に飛躍を遂げた企業のサクセスストーリーです。

| 会社概要 | |
|---|---|
| 株式会社トレンドアップ | |
| 設立 | 1993年4月1日 |
| 資本金 | 2億5,000万円 |
| 事業内容 | 生産・製造に関する必要資材の提供、および新製品、新装置、建物などの設計開発製造組立販売　商社機能や卸業務も扱う製造・生産支援会社 |
| 従業員数 | 1,000名 |
| 本社 | 東京都中央区 |
| 営業所 | 全国、20か所 |
| 工場 | 静岡県掛川市 |
| 役　　員 | |
| 代表取締役 | 倉石総一郎 |
| 取締役（営業担当） | 山田真一 |
| 取締役（管理担当） | 佐川英二 |
| 取締役（開発担当） | 西峰誠二郎 |
| 取締役（製造・調達担当） | 山崎恭介 |
| 取締役（社外取締役） | 渋谷隆文 |
| 監査役（常勤監査役） | 大谷友和 |

| 経営理念 |
|---|
| お客様と社会の発展に貢献する<br>開発力・技術力で世界をリードする<br>企業内容や人間性を良くする企業風土を作り続ける |

| トレンドアップのポリシー |
|---|
| 品質、安全第一<br>情報の集約　即決<br>判断は困難の方を選ぶ<br>目標は高きに置く<br>お客様とはウィンウィンの関係<br>細かいところに気を配る |

# 目次

# 第1章

# 第31期（2024年）
# 社長の考えの浸透

**第30期（2023年）実績**

| 売上高 | |
|---|---|
| 連結売上 | 300億円 |
| **事業別売上** | |
| 工業事業部 | 230億円 |
| 電動事業部 | 50億円 |
| 海外事業部 | 20億円 |

倉石社長は、「当社トレンドアップは、これから日本一でなく世界一になるんだ」と社員の皆を鼓舞して二〇年が過ぎました。この間、会社の売上は連結で三〇〇億円に達し、社員も一〇〇〇人を超えてきました。しかし、この三年、コロナウィルスの影響や、米中経済摩擦、アメリカの金利高騰による円安、中国経済の低迷などの影響により、トレンドアップの売上は頭打ちとなっていました。

三一期始めに開かれた、三一期の経営計画説明会では、次の社長の考えがスローガンと方針にまとめられて発表されました。

スローガンは、「次の一〇年に向けて、グローバル企業への飛躍」とし、次の五項目の方針が示され倉石社長から説明がありました。

方針一　グローバル営業
方針二　世界標準の技術
方針三　品質向上
方針四　生産体制の強化
方針五　人材の育成

「方針一のグローバル営業については、今まで国内を中心に営業活動を続け、国内では、基礎固めができました。これからのトレンドアップの発展にはグローバルな営業が不可欠であります。当社の事業方針として、お客様が製造販売する製品については、お客様独自に考えられた部材によりお客様の製品が作られ販売されています。そこに当社の製品を売り込むことは、お客様の要望を乗り越えてしまうことになり、当社の事業からは外しています。ましてや、大企業においては、とことん研究を重ねてお客様向けの製品を作り上げていますので、我々がそこに物申すのはおこがましいということです。従って、当社では、お客様の製品ができあがる過程の製造工程や部材提供を本業としています。そしてそのお客様の業種は、ものを動かさないサービス業を除き、ものを動かして作り込みをしたり、そのものを搬送したりする事業全般を対象としています。

そこで、これからの社会に必要なものをグローバルに展開している、あるいは展開していく、製品、装置などの製造販売する企業やグループをターゲットに営業展開を行っていただきたいのです。グローバル営業については、今までは外国の日系企業を中心に営業活動をしてきましたが、これからは、現地の外国企業にも販路を拡大していかなければなりません。

そのために、関係者が集まって議論し、トレンドアップの営業方針を固めて実行していっていただきたいのです。

方針二の世界標準の技術ですが、今、当社の取扱っている部材は、一〇万種類を超えています。

これらすべてを世界標準にすることはできません。当社は今まで培ってきた技術の中で、国内あるいは海外で当社の技術に優位性がある製品を選び出し、その製品の販売予測、それも世界展開できるかどうかなどを分析して、一〇〇〇アイテムほどに絞り込んで、それを、業界ごとにどのように当社の強みの技術を生かして販売していくかを議論して実践していっていただきたいのです。

次に、方針三の品質向上です。皆さんもご存じの通り、品質問題を起こすと大きなダメージと、そのマイナスイメージを払拭するために多くの時間やコストがかかります。品質を落とすのは一瞬です。最近の極端な例でいえば、中国の赤島ビールの社員が、ビールの製造過程に自分の小便を流した動画がＳＮＳで流されました。これにより、この情報を見た中国、韓国人は赤島ビールを飲まなくなりました。日本でも、ダイエツ工業の不正問題やエアバッグ不具合、リコール隠し、不適正検査など企業不祥事により大きく業績を落とした会社が数多くあります。当社もこのような不祥事を起こさないために、どのような対策を行ったら良いか議論していただきたいと思います。この不祥事の中には、パワハラ、セクハラなどのコンプライアンス違反も含まれますので、これらの対策も議論していただきたいと思います。

次は、第四の生産体制の強化です。当社は、一部の製品は、掛川工場で自社生産を行っていますが、これからは、工場設備を新たに構築して製造販売していくことができなくなってきます。それは、売上の増加に対し、製造インフラの整備が追い付いていかないからです。ですので、下請けや外注の協力企業をいかにコントロールしていくかがカギになります。この先、今の掛川工場もこのトレンドアップから切り離すときが来ると思います。それは、営業部門がお客様から受注する際、製造納期を社内で確認して対応するには受注が多すぎて対応が難しくなるためです。営業部門は受注することに集中し、調達部門は、その受注に対し外部調達先をコントロールして納期を守っていく体制にするということです。一方、製造工程はその外部調達先の納期を考えて設備増強を検討することになります。これらの製造体制について、製造部門、調達部門の担当の方は議論して良い方向に進めていただきたいと思います。

最後は、第五の人材の育成です。このテーマはどんな企業でも必要なテーマですが、大変重要なテーマです。社員のモチベーションを高めることから適材適所、幹部社員の育成など課題は山積しています。また、第一から第四までの方針とも連携していますので全社で取組む課題でもあります。しかし、全員でこの問題を議論することもできないので、幹部社員を中心に、若手社員の意見を取入れながらこのテーマに取組んでください。

以上が、私からの三一期に向けてのメッセージです」

とこの会を締めくくりました。

経営計画説明会の翌日以降、取締役など幹部社員による、テーマごとの課題についてプロジェクトを立上げ会議が行われました。

方針一のグローバル営業は、そのプロジェクト会議で、今後グローバルに発展が見込まれる、①業種、②製品・装置　③製造販売する企業やグループに分け、まず、議論し始めました。

①業種では、会議参加者のブレインストーミングで、総合建築、宇宙ビジネス、輸送用機械、通信機器、農業、スポーツ・娯楽、ロボット、機械装置などが将来有望であろう業種として取上げられました。そしてこれらを基に②の製品・装置について議論が進みました。ここでは、アルミ建築、月でのホテル建築、ロケット技術、空飛ぶ車、自動運転マイカー、AIと融合した時計やメガネなど体に装着するスマホ、工場内の進化した生産技術、農業と収穫技術の向上、プロスポーツと個人スポーツ・娯楽の進化、人型ロボット、工場内の自動化・無人化などが話題に上りました。これらのキーワードをもとに、③の当社トレンドアップが取引を深めていくべき企業を抽出しました。アルミ建築および月でのホテル建築ではエコハウス、三協軽金属、UAXILなどです。ロケット技術、空飛ぶ車、自動運転マイカーなどは水素やジェットエンジンなどが主流となり、水素企業はビープラン、水素ウォーター

など、ジェットエンジンは世界的にはＪＥ、Ｐ＆Ｈ、ローストルイズなどで、小型のジェットエンジンは、ハンダ、ＨＩＨ、カンサキなどです。自動運転マイカーはトミタ、ハンダの日本勢とＧＮ、ベント、ＣＮＷなどの外国勢です。通信機器はサムシン、ナップル、シュオミなどです。次に農業については、まだ小規模で群雄割拠の時代です。ただ、農業は人間が生きていくためには不可欠なものなので、需要は十分にあるとの意見でまとまっています。スポーツ・娯楽については、これからも需要は伸びていくものと見ています。次に人型ロボットについては、家庭、工場、作業現場で活躍が期待できるので急速に発展していくものと思われます。製造企業はまだ研究段階が多く飛び抜けて売上を伸ばしている企業はありません。ハードバンクやカンサキなどの子会社で取組んでいます。そして、当社が得意とする工場内の自動化・無人化などについては、空中搬送や重労働、雇用環境などへの対応で、さらに進化が予想されます。この分野の企業としては、ショウフク、デンシーなどの企業です。

これから社会に必要なものをグローバルに展開している、あるいは展開していく、業種、製品、装置を製造販売する企業やグループをターゲットに営業展開を行っていこうということになりました。

ここからは、議論されたことを社員が実行に移していくことになり、グローバル化を進めるため海外事業の担当を五名増員し、米国を始め、ドイツ、イギリス、スペイン、ブラジル、タイ、台湾、インドの子会社の営業強化に努めるように指示しました。

　議論で出た会社を中心に、国内の本社および海外企業の国内支社でグローバル展開している事業の責任者に会い、交渉を進めていきました。また、まだ取引のない新規取引先にも積極的にアプローチしていきました。この時、先方の責任者に会うことがなかなかできなく苦労しましたが、社員は少しずつ現在取引しているお客様の窓口担当からその責任者を紹介してもらったり、銀行経由で先方の上層部の役員から紹介してもらったり、先方の開発職の人に新製品を紹介して接触し、上層部の実権者に面談して交渉していきました。

　一方、海外事業に増員した五名は、既存の海外子会社や代理店をとりまとめ、日本との連携を高めて事業展開を行っていきました。しかし、今までは、日系企業を中心に営業活動を行ってきましたが、海外の現地企業への販売も強化すべきと渋谷隆文社外取締役のアドバイスもあり、海外の現地企業への販売を強化していくこととなりました。また、社長の指示により、国内外で今まで使っていた製品より良いものを提供できるかを研究・調査することとなりました。結果は三か月後に出て、単純に当社製品に強みがあるものは四〇％、関連部品や使い道を考慮してキット品や組立品で当社製品に切替えられるものが三〇％で調達、販売ルートの確立を検討しながら進めて行くことになりました。残りの三〇％は価格面など現状他社製品に比べて優位性が劣るものと判明しました。そこで、この中のキット品を中心に、当社の開発部門で他社に優位する製品づくりに取組みました。その結果、海外売上が徐々に増加し、世界的に認知度も上がってきております。

そのような中、当社方針三の品質問題について、当社品質保証部は、新製品開発した製品について、物理的、化学的、医学・薬学的に安全・安心であるか検討し、お客様に迷惑がかからないようにチェックを実施していきました。最近のコンプライアンス違反の傾向を見ると、上層部の権力が強ければ強いほど、その納期や成果を強く求められるため、できない、できなかったという言い訳ができずに、結果、社会に大きく影響するようなコンプライアンス違反をしてしまうことになるため、検査工程は、ダブルチェックとし、最終部長検査を実施し責任体制を明確にしていきました。一方で、当社の新製品開発への取組みについては、シーズとニーズがある中、シーズはなかなか良いものが出ず、ニーズ中心の開発になっています。西峰開発取締役は、ここのところは大きく変えなくても良いと思っていて、お客様から依頼された機能を付加したものや、過重に耐えられる製品、摩擦、ゆるみ、動作などの機能向上に向けた取組みなどを行ってきています。倉石社長からは、当社の製品をまねたものを安価で提供する中国や国内企業向に対抗するため特許をとるように指示を出しています。また、トレンドアップの開発力はこの会社内だけで検討するのでは弱く、開発担当者はお客様のところに出向き、開発ネタを収集するようにと指示が出ています。

次に、生産体制は、売上三〇〇億円までは、国内工場の増設で賄ってきましたが、これからの展開は年一〇〇億円～一〇〇〇億円の売上増を見込むとなると、その生産体制は、国内のみならず、海外に製造拠点を持つにしても追いつかないのは自明であります。一〇〇億円の売上に対するその製品の工場は少なくとも三〇億円の投資は必要で、なお且つ、土地の手当てから工場新設、竣工までに最低二年はかかってしまいます。従って、この株式会社トレンドアップの中長期計画を実現させるためには、製造あるいは調達の協力会社の存在とそのコントロールが不可欠なのです。

このように結論づけされた製造部門と調達部門の責任者は、当社製品が製造できそうな世界中の会社をあたってみることにしました。その調査に二か月ほどかかりましたが、ほぼ対象企業のめぼしを付けました。ただし、世界展開を考えて、同じ製品を製造できる会社を複数リストアップしました。そしてこれからは、その製造会社一社ずつ交渉して、価格、納期、納入方法などの条件を詰めていきました。結果、必ず販売できる製品や製品の素材部品などは計画生産ができる先として外注中核先として位置付けました。また、注文に応じて個別発注する先は、特殊外注に位置づけて取引を開始することになりました。この体制は約一年かけて整えることができました。

最後のテーマ、人材育成は、社員一人一人が就業中は業務に集中できるようにすること、そしてその業務も前向きにどうすれば目標をクリアできるか、これを目指すことにしました。

そのため、新しい人事制度を構築することにしました。

その方法は、社員の給料は基本的には会社の業績に連動させることにし、税引き後利益の一割を社員給与で還元し、四割を設備投資、二割を当面返済、あとの三割は内部留保とする案を公表しました。ただし経営環境の変化により修正があることを付け加えております。

こうすることにより、自分たちの頑張りが給料に跳ね返ってくる仕組みが構築されました。

次の人事制度の改定は、やる気のある人、頑張る人、会社をリーダーとして引っ張っていく人に多くの給料を支払う体制をとることを決めました。

それは、お給料をたくさんもらいたい人は、会社を引っ張り、責任も持って仕事を進める人になる仕組みを構築するということです。但し、残業時間が付かないからと言って、毎日遅くまで会社に居残るのは厳禁、早く帰って自分の時間を作って仕事とは違うことに集中するように指導しました。これは仕事以外のことも考え、人間としての幅を持たせるためです。その代わり、就業時間中は社内を盛り上げ、会社を引っ張ることに集中してもらうことにしました。

それに加えて、リーダーになるためのキャリアプランを明示しました。よく、一般職と基幹職に分けて人事制度をつくるところがありますが、当社の資格は一般職で一本としました。

高卒入社（一八歳）で一般職一級、大卒入社（二二歳）で一般職二級、二五歳で一般職三級、二八歳で一般職四級または管理補職、三〇歳で管理一級、その後管理二級、管理三級でその上は役員となります。

役職は、管理補職の資格以上で、課長代理クラス（部下を持たなく、時間外手当も付く）、課長クラス（部下を持つ、時間外手当が付かない）、部長クラス（課長の部下を持つ、時間外手当が付かない）、このほかに専門職一級（専門性の高い技術がある人、時間外手当が付かない）、専門職二級（専門性が高い技術や事業運営の経験がある、時間外手当が付かない）を設けました。

このほかの人事関係では、外国赴任と国内転勤を明確にしました。それは、外国赴任は基本五年とし、任期を問題なく全うした場合は、資格を一級引上げ国内に戻すことにしました。国内の転勤について、基本は人事発令が出たら転勤に応じなければならない。もし、応じられない場合は、昇給、昇格が遅れる場合があることとしました。

これらのテーマを具体的に進めていきながら、それぞれの課題を解決しつつ事業が拡大していきました。この中で、大きな課題としてクローズアップされたのが、物流問題でした。たまたま物流の二〇二四年問題と重なり、当社の課題解決にはアゲンストになりました。これに対し、当社がとった手は、物流改革として、トラックの積み降ろしの自動化、日本国内向けには、モーダルシフトで鉄道、船舶の活用を実施、ラスト一マイル対策としては、画期的な方法として、今後一段と普及するドローン配送と無人トラック配送（トラック型およびバイク型）を進めて行くことにしました。

あと会社の体制改善の取組みとしては、見積・受注・製造指示・発注・出荷・売上計上・売掛金回収の流れの自動化・システム化がありました。これらは、社内ITソリューション課が社内システムを構築し、外部のシステムインテグレーターと協力して自前で組立てていきました。最初は、基本の見積もり、受注、製造指示・発注・出荷・売上計上・売掛金回収処理までの自動化を構築し、これに加えて、自動発注システム、自動設計システム、納期管理システム、原価計算システム、債権管理システムなどの周辺業務を取り込んでいきました。

そんなある日、取引銀行の東都銀行の支店長が、東都証券の担当を連れて本社に来社しました。

話の内容は、以前にも話がありましたが、上場したらどうかということでした。以前から、取引銀行は、東都銀行始め七行と取引をしていて、各行積極的に支援してくれています。まだ知名度は低いのですが、近い将来、テレビコマーシャルなども行う予定で知名度を高める予定ですとお断りの話をしました。銀行および証券会社も渋々、上場しないことを受入れてくれました。

こうしてこの期は事業を進める体制を整えてきましたが、やはり最大の課題は販路拡大であります。国内および国外の営業担当者は、それぞれ担当顧客の、調達先、販売先、海外展開先を調査し、網の目のように結び付けていきました。その中でまだ取引が無いまたは取引が少ない先を抽出し、網目のように結び付けた企業の中からどの企業に取引の仲介をお願いしていくかを絞り、その中で人材ネットワークから選出された役職の方にお願いして取引開拓を進めていきました。

当然、業種ごとグローバル展開をしている企業を中心にこの網の目は伸びていくことになります。

但し、この情報は社内開発したスパイダーソフトで社内に公開しこのソフトを少しずつ補充しながらまとめ上げることになっています。これを社内で公開することにより、一人の顧客情報だけでなく、会社全体がこの情報をもとに動くことができます。たとえば、あるA社が新たな製品を開発した情報が入れば、その調達先への発注が増えるためその素材が売れます。この情報は、社内に拡散し、A社の担当ではないその下請け素材メーカーB社担当はこの情報をもとにB社を攻めることができるのです。また、同じ業種で似ているような製品を作っている場合には、同じ品質・機能でも価格が安いものを提供することができることや、調達ルートの変更を提案したりして、お客様にメリットを提供していくことができます。また、グローバル企業に対しては、日本の製品とか当社の製品のみを販売していくのではなく、調達もその国の中で調達できるようにしていく必要があるのです。そのためには、その国に当社の代理店を設置し、そこから販売する方法と、現地企業と提携や現地企業に当社製品を納入するなどしてエンドユーザーの支援を行っていくこととしております。

しかしながら、売上を大きく増加させるには、期初に計画した推進策だけでは計画を達成させることができません。そのため、今まで無視していたM&Aの情報を注意深く見ることにして、資本系列、業績、会社を売る理由などを確認していくことにしました。その結果、大手エンジニアリング会社への部品供給会社である、ニッソー物流株式会社の経営者が、後継者不足で三〇億円で会社を買わないかとの話が来て検討しました。この会社は、資本金一億円、純資産三五億円、前期の年商が一五〇億円、経常利益が五億円、従業員約一〇〇名の会社で、資本系列は独立系で今の経営者家族が全株式を保有している会社でした。会社の売却理由は、現鈴木社長は後継者として一人息子を予定していましたが、昨年、その息子が交通事故で半身不随となり、現役社長として活躍するには難しい状況となり、鈴木社長は悩みに悩み、会社を売却する決断をしたとのことでした。これを受けて、倉石社長は、山田営業取締役と佐川管理取締役をニッソー物流に行かせ、交渉を任せました。二人は、仲介のM&A会社の担当と一緒にニッソー物流に行き、話し合いの結果、売却の理由や会社の内容は当初の説明通りで、鈴木社長とは話を進めることとなりました。この会社を出てから、M＆A仲介会社の担当と秘密保持契約の締結、アドバイザリー契約の締結、ニッソー物流の価格査定や事業内容などの資料開示の話をして、会社に戻りました。

M＆Aは二回目の打ち合わせで、契約書類や会社から開示された資料を受け取り、社内で事業内容や購入金額の妥当性を検討しました。事業については、ニッソー物流の既存顧客が当社顧客と重なっているところは少なく、且つ、取扱い品目も当社の方が多く、吸収合併することにより相乗効果が見込めると判断されました。売買金額については、純資産方式に収益力を勘案し三〇億円のところを二八億円で交渉することとしました。あと、ニッソー物流を購入した後どのように活用するかを役員会で議論しましたが、二つの会社を管理するよりは一つの会社にしたほうが、無駄な管理費が省けるということで、購入した後は、当社が吸収合併すると決めました。役員会では、監査役の大谷友和監査役から、原案では、購入後、ニッソー物流のお客様や社員をそのまま引継ぐことを考えているので、当社が購入後、お客様の離反や社員の退職が極力無いように現在のニッソー物流の役員に話をしておくことが大切であるとのアドバイスをいただいたので、先方との交渉内容に盛込みました。

交渉の結果、先方も売却すると決めたからには早く決めたいとの意向があり、先方の役員もお客様は引続き取引してもらうように交渉し、合併後の新会社の運営にニッソー物流の社員全員が協力すると説明してくれ契約はスムーズに行なわれました。契約の当日には、当社の倉石社長が先方会社に出向き調印しました。そして、倉石社長は集めていたニッソー物流の社員に向け、挨拶しました。その内容は、「皆さん、ニッソー物流は、今まで鈴木社長が設立して今日までこのような立派な会社にしていただきました。本当は、これからご子息さんに引継いで会社を発展させる夢があったと思いますが夢が叶わず残念だったと思います。しかしながらニッソー物流を引継いだ株式会社トレンドアップは、鈴木社長の思いを汲取りながら会社運営を行い、株式会社トレンドアップの社員になった皆さんを、トレンドアップに来て良かったと思えるように会社を大きくし、会社をいい会社にしていきますので、これから一緒に会社発展に頑張りましょう」と挨拶しました。

そして、一か月後、会社の合併を果たしました。この間、旧ニッソーの社員は、既存取引先に会社合併の説明を行い、取引継続のお願いを行いました。合併後の社内体制は、三か月は従来の体制を保ち、その間、佐川管理取締役を中心に、合併後の人事交流の検討を進めて行きました。合併して一番苦労したところは、ＩＴソリューション部でニッソー物流の基幹システムとトレンドアップでは違っていたので緊急連携を行い当面の対応を続けましたが、徐々にトレンドアップの基幹システムに切替えていくことにしました。旧ニッソーの社員たちは、合併後、従来の業務に加えて、トレンドアップの事業内容の勉強、特に取扱製品や顧客情報、エリア戦略など学ぶことが多くありました。また、事業所や店舗については、海外を含め事業所や店舗の統合を進めていきました。給与体系については、トレンドアップの方が高かったため、トレンドアップに合わせました、そのため、旧ニッソー物流社員は大いに喜びました。

こうした事業活動を進めていき、第三、四半期までで体制は固まりつつあり、第四、四半期の課題は旧ニッソー物流との融合とその活性化でありました。これに加えて、翌期の第三二期事業計画策定が重要課題でありました。

旧ニッソー物流との融合とその活性化は、山田営業取締役と西峰開発取締役が中心になって、旧ニッソー物流が取扱っていた製品の見直しを行い、トレンドアップと共通する製品は、価格、品質などを検討し、良い方に集約しました。お客様については、エリア別に見直し供給体制を確立していきました。お客様からの評判は、ニッソー物流がトレンドアップに合併してくれたおかげで、安くて良いものが手に入るようになりました。また、組立や装置を作り上げる時には、トレンドアップの支援がたいへんありがたかったと感謝のことばがありました。

その結果、三一期の連結売上高は五〇〇億円に届くことができました。

第三二期事業計画策定については、旧ニッソー物流との融合を勘案して、スローガンと方針を固めていきました。

この二〇二四年の世相では、ＥＶ開発がピークを迎え、水素がエネルギー源として普及、インド経済が急成長し、ドローン式エアカーの販売が開始されました。また、ＩＴスポーツが進化を遂げていきました。

一方、リスク面では、第五次中東戦争が開始され、ヨルダン川西域地域もイスラエルがハマスを攻撃しました。中国の不動産バブル崩壊が現実味を帯び世界経済に悪影響し始めました。コロナやインフルエンザの流行が各地で残り、サイバー攻撃がさかんに行われるようになりましたが、その対策も進んできました。日本国内では物流二〇二四年問題がありましたが、各企業の努力で、社会的な影響はそんなに多くは出ませんでした。

# 第2章

# 第32期（2025年）
# 事業の再編成

**第31期（2024年）実績**

| 売上高 | |
|---|---|
| 連結売上 | 500億円 |
| 工業事業部 | 300億円 |
| 電動事業部 | 90億円 |
| 海外事業部 | 40億円 |
| ニッソー物流事業部 | 70億円 |
| **従業員** | |
| 1,200名 | |

三一期の実績は、グローバル営業や世界標準の技術が浸透し海外売上が大きく貢献し、加えてニッソー物流の吸収合併の効果もあり、連結売上は五〇〇億円となりました。倉石社長は、「これからのトレンドアップの発展は会社内がひとつずつの事業部に固まるのではなく、装置化するものや、センサーやＡＩを活用するもの、それらを融合してお客様のニーズに答えなくてはなりません。そのために事業再編が不可欠と考えています」と会議の中で発表し山田営業部長に検討するように指示を出しました。そして、第三二期のスローガンは「事業の再編成」を打出しました。

倉石社長は経営計画説明会で次の五つの方針内容を説明しました。

方針一　事業部の再編成
方針二　ブランド力のアップ
方針三　事業間連携の強化
方針四　顧客へのサービス向上
方針五　社員のモチベーションアップ

「方針一の事業部の再編成については、山田営業取締役と佐川管理取締役を中心に意見を出してもらいました。今までの事業部は、製品別に分かれ、工業事業部（単品部品の製造・調達・販売）、電動事業部（電動製品、電動組立、電気部品の製造・調達・販売）、海外事業部（海外への販売するための製品製造・調達・販売）の三事業部制に加え、旧ニッソー物流系事業が加わり四事業としていました。そして、事業部ごとに、営業、製造、調達に分かれていたため、営業で言えば一つのお客様に二事業部で担当するなど非効率な面がありました。また、製造についても、同じ製品を二事業部で使うこともあり、これらの課題を解決するためにどのような事業部体制にするかいろいろな議論が出ました。営業部署からは、北海道、東北、関東、東京、東海、北陸、関西、中国・四国、九州などのエリアごとエリア業務部を設置したらどうかと提案がありました。一方、製造についてはエリアごとに製造部署を設けていたら会社は回っていけません。かといって一極集中では、運送コストが大きくなるなど課題が浮かび上がってきました。そのため、工場や倉庫は国内を分散させる必要があるとの認識が共有化されました。調達は分散化するよりは集中購買の方が安く仕入れることができるため、集中購買を基本とすることが方針として打ち出されました。

結果、製造は製造業務部とし、掛川がマザー工場でこのほかに営業部署から打ち出された北海道、東北、関東、東京、東海、北陸、関西、中国・四国、九州などのエリア業務部の拠点に倉庫と簡単な加工ができる工場を設置していくことにしました。但し、すでに拠点があるところはその拠点を生かし、ないところや、面積が少ないところは、近隣で必要な面積を確保できる、土地、あるいは建物があるか確認していくことにしました。また外注に依頼して製造する当社の協力工場の体制は、県単位などに構築することとしました。調達も掛川で集中購買することにし、開発部隊もマザー工場のある掛川に集約しました。

こうして北海道エリア業務部、東北エリア業務部……九州エリア業務部に再編することが決まりました。営業面では、このエリア業務部のほかに、NET業務部、海外業務部を設置することとなりました。NET業務部は、東海エリア業務部の建物内に、本部を置き、インターネットや通販で営業を行い、出荷は、各エリア業務部から出荷させることとしました。海外業務部は米国を始め、ドイツ、イギリス、スペイン、ブラジル、タイ、台湾、インドに子会社を設置しそのコントロールと日本からの輸出品の取扱い業務として海外業務部を設置しました。

このほかに、開発企画業務部、製造調達業務部、管理業務部に業務を再編成しました。

一方、対外的な製品別セグメントでは、機械部品部門、電気電子部門、水素関連部門に分けて必要な場合は公表することにしました。

次に、方針二のブランド力アップですが、当社トレンドアップは新興企業で知名度があまりなく、製品も、実際消費者が手にするものはほとんどなく、トレンドアップを知る機会も多くありません。そこで、テレビコマーシャル、新幹線の中の電飾広告や新幹線停車駅の広告看板などを実施することを決めました。また、ゴルフとラクビーの冠スポンサーになることも決めました。このほかでは、ＣＳＲの一環として、全国の拠点において、「クリーン大作戦」を実施するとともに、拠点がある市の科学館に寄付し、子供向けのイベントに参画、工場がある掛川のイベント施設に協賛して施設の改善費用やイベントの支援を行うこととしました。

方針三の事業間連携の強化については、当社のスパイダーソフトを活用し、二つ以上のエリア業務部を跨いで取引がある取引先は、基本的には本社取引のあるエリア業務部が担当するが、成果の実績は、関わったエリア業務部の担当者の努力を勘案して直属の上司と営業取締役の決裁を受けて決定される仕組みを構築しました。従って、自分が本社担当で自分の実績になると思いきや、本社以外のところでそこの担当部署の努力により当社との取引が成立した場合には、本社担当の自分の実績にはならないということになります。本社の指示でその担当部署が動いて取引に結び付いたものは折半としました。

エリア業務部はそのエリア内のお客様からの受注により、製品の調達や加工組立てを行うので製造調達業務部とは十分な連携をとる必要があります。また、お客様からの要望で、まだこの世にない製品の開発を求められることもあるので、その場合は開発企画業務部と連携が必要になってきます。さらに、お客様の交渉窓口は国内にあるが、実際に必要なところは海外の場合、海外業務部との連携が必要となります。

　このように業務部間の連携は常時行われていますので、全社一丸となった取組みが必要です。

　次の方針四の顧客へのサービス向上については、当社のお客様をもう一度整理するために、この先、一〇年～二〇年先の世の中がどうなるかを役員中心に話し合いを行い決めていきたいとしました。

　方針五の社員のモチベーションアップについては、佐川管理担当取締役が中心になって、各部署ごとにモチベーションをアップさせるためにどうしたらたら良いかの意見を出し合い、課題を設定し、その対策を立てて取組んでいただきたいと思います」と説明会を終了させました。

　経営計画説明会後の土曜日、倉石社長から取締役や部長が箱根の別荘に呼び出されました。倉石社長から「今日、皆さんに集まってもらったのは、この先、このトレンドアップがどのような戦略が必要になるか皆で話し合いをしたいということで集まってもらいました。皆さんの忌憚のないご意見の発表をお願いします」と口火を切った。そこで、倉石社長は、「この先一〇年、二〇年に世の中がどうなっていくのかを予想してみてください。なかなかすぐに浮かばないかもしれませんので、最初は私からお話しします。私は、今、すでに話題になっている空飛ぶ自動車が普及されると思います。その中でも今研究されているものに二通りの技術があります。一つは、ジェット型で、ジェットエンジンで運行するものです。もう一つがドローン型です。この空飛ぶ自動車については、ドローン型が二〇二五年の大阪万博で運行されます。そして、一〇年先には富裕層の家庭に一台、そのもっと先には、長距離移動用のジェット型と近距離用のドローン型の二台があるようになります。そのために、トレンドアップは今から、何をすべきか検討し、対応していきたいと考えています」と話しました。西峰開発取締役から「これから空飛ぶ自動車は開発、製造されていくのは間違いありませんが、問題は、空を活用する法律がどのように決定されるかが大きな問題で注意深く見守る必要があります」、倉石社長は「確かにそうですね」、西峰開発取締役は「加えて、当社がこの業界のどこに入り込むかも重要な点です」、倉石社長は「そうですね、すでに開発している会社に部品を納品しているものもあります。ここは、私は、空飛ぶ車の製造販売ではなく、重要部品の供給会社に徹していきたいと考えています」、西峰開発取締役から「確かに車の製造販売を行うとすると国土交通省の型式認定を取るのに苦労して、実際に飛び始めたら、墜落した場合の責任問題にもつながりますので、そこは避けた方が得策かと思います」、倉石社長は「良かった、意見が一致して一安心しました。では、山田営業取締役、現在、この空飛ぶ自動車の製造販売を検討している会社をリストアップしてください。そこを攻めていきましょう」、山田取締役は「了解しました」と返事しました。

倉石社長は「次に将来発展すると思われる事業が他に何かありませんか」と話を続けました。山田営業取締役から「今、石油もいつかは枯渇するし環境問題もあり脱二酸化炭素が求められています。そのような中、その代替としてあがってきているのが、再生可能エネルギーと水素ですが、私は、再生可能エネルギーもこれからももっと普及していくと思いますが、水素が今までのガソリンの代わりに使われていく時代になると思います。今は水素を取り出すためには、希少な鉱物や電気を多用していますが、この技術開発は世界で取組んでいて急速に進化しています。例えば、水素を取り出すための希少な鉱物が必要なく水素を取り出せたり、アルミの粉末から水素を取り出す技術や、海水から水素を取り出す技術が生まれたりしています。これで、もし、簡単に水素が取り出せるようになれば、ガソリンのように直接エンジンに供給できるようになり、二酸化炭素の代わりに酸素を吐き出すことになります」、社長は「なんかいいことずくめだね。問題点はないのかね」、山田取締役は「やはり、水素は爆発もしますので危険物でその取扱いが安全であること、普及に当たっては、どのように供給するかが、課題となっています」、社長は「何か良い手立てはあるのかね」と尋ねました。山田取締役は「私は、卓上コンロのカセットボンベのようなもので提供したら、水素スタンドでなくコンビニで買えるようになれば便利かなと思っています」、社長は「そうだね、それはいいね。では、西峰開発取締役、アルミ及び海水から水素を抽出することを研究すると同時に、それに取組んでいる会社がどんな会社があるか調査してください」と指示しました。西峰取締役は「社長、ゆくゆくは、この水素事業は当社が海水から水素を取出して、ボンベに注入して売りだすことをお考えですか」、社長は「できればそこまでこのトレンドアップで行いたいと思っています」と言い、次の提案を促しました。

次は西峰取締役が「今すでに、当社でも利用している３Ｄプリンターですが、一〇年後には家庭に入っていくと思います」、社長は「それはどのように活用されるのですか」、西峰取締役は「金属やプラスチックは自宅で作る時代が来ると思います。バーコードを機械にかざし、プラスチックや金属の粉を機械に投入すれば同じものを作ることができます」、社長から「でもできているものを買ってきた方が早いのではないの」、西峰取締役は「そうですね。家に３Ｄプリンターを置くのはマニアか事業を行っている人ですね。ただ、これは想像ですが、衣類も３Ｄプリンターと同じように自宅でバーコードにかざせば衣類ができあがるようになると思います」、社長は「これもお店に行って買ってきた方が選べるし、いいと思うよ」、西峰取締役「そうですね、失礼しました」、社長は次を促しました。

佐川管理担当取締役が「社長、今は、紙に書いたり、印刷したりしていますが、一〇年後はタッチパネル型のタブレットに手書き入力でもその書いたものが、自分のパソコンに記憶されたり、手紙代わりに送ったり、本を発行するように大衆向けに公開したりするようになると思います」、社長は「確かに、そうなると思います。そうすると、紙は必要なくなるね、紙の需要がぐっと減るようになるなぁ」、佐川取締役は「そうですね」、社長は「パソコンやタブレットはもうすでに行きわたっていると思うがどうかね」、佐川取締役は「はい、そう思います。ペーパーレスタブレットとして売出せば売上が伸びると思います」、社長は「タブレットはすでに製造販売している会社があるのでそこには、当社は勝てないよ」、佐川取締役は「そうですね、タブレット販売業者にこの話をしてタブレットの製造に必要な部品を供給したらいかがでしょう」、社長「そうですね、それでは、山田取締役、タブレット製造業者にこの話をして部品供給に繋げてください」山田取締役「了解しました」

次に発表したのは、製造・調達担当取締役の山崎恭介で「社長、すでに製造現場では人型ではありませんがロボットが活躍しています。一部には人型ロボットが活躍しているところがあります。この先一〇年後のロボットはもっと進化していき、人型ロボットが家庭に入ると思われます」、社長は「家庭に入ったロボットはどんなことをするのですか」と質問しました。山崎取締役は「それは、家庭内の掃除、洗濯、調理などの家事を、ＡＩを使って人間と同じように行います。また、ＡＩで友達と話をするようにもなります。そうすることによって家庭に一台は必需品になります」、社長は「確かに、それは想像できますね。山田取締役、今、人型ロボットを開発している事業者を調査してください。西峰取締役は、当社で人型ロボットを製造販売できないか検討してください」、二人の取締役は「かしこまりました」と声をそろえて答えました。

次に話し出したのは山田取締役で「宇宙開発も全世界で活発になってくると思います。その中でも、地球外周の大気圏を抜けたところの開発が活発化してきます」、社長から「どのようなことが進むと考えていますか」、山田取締役は「それは、ロケット技術が進み、地球外周の大気圏をロケットが行ったり来たりすることができる技術が進み、その宇宙空間ではホテルができ、その宇宙空間から地球上の行きたいところにロケットで行って、旅行を楽しむようになります。ロケットが地上に降りてからはドローン型の空飛ぶ自動車でその近くを観光して、夜には、宇宙空間のホテルに戻ってくるというものです。そのほかにもこの宇宙空間は、地球上の観察やＧＰＳなど戦略的にも利用されると思います」、社長は「当社としては、そのロケット開発を行うということですか」、山田取締役は「いえ、これからロケット開発では遅いと思いますので、ロケット開発業者への部品提供となります。宇宙空間のホテル製造はまだ開発しているところは少数の企業と思いますので参入の余地はあります」、社長は「しかし、この事業は、量産化はできないし、利益計上は難しいと思うよ」と言いました。山田取締役は「確かにそうですね、もう少し先の時代になるかもしれませんね」と山田取締役もトーンを下げました。

倉石社長は、ほかに誰か意見がある人はいませんかと確認し、製造・調達担当の山崎取締役が話しました。「私は、今、宇宙の話が出ましたが、地球上で未開拓の海の中も開拓が進むのではないかと思います。私が考えるのは、陸上も走るが海の中も潜水艦のように動くことができる乗り物ができ、もっと先には、海の中にホテルができ、海洋開発が進むのではないかと思います」、社長は「確かに、海洋開発はこれから進むと思うが、あまりここに取組んでいる企業は少ないように感じます。何かこの分野で当社が取組めることがあるかもしれませんね」

西峰取締役が「ロケット事業に取組んでいる企業は水中でも問題なく動かせる乗り物の開発はできると思います。また、海中内のホテルですが、錆に強いチタンが良いかもしれません。ただ、まだ地上でアルミの家を世に送り出そうとしている企業がアルミハウスのほか数社しかありません」、社長は「そうすると、鉄、木、コンクリートなど既存の建物構造材以外の金属の建物はまだ事業として見込めるということですね」、西峰取締役は「それが、そうでもないんです。既存の構造材以外の金属での建物構築は、強度や価格面で問題があるのです」、社長は「それは残念ですね、でも量産化や技術開発で強度もクリアしてくるのではないですか」、西峰取締役は「確かに量産化ができれば技術も進歩すると思いますが、そこまで行くのがたいへんです」、社長は「でも、他社がやっていないところがいいですね。西峰取締役、当社もやってみようじゃないですか」、西峰取締役は「どこまでできるかわかりませんが研究します」と言って当社も取組む課題となりました。

次に話し出したのが佐川取締役で「社長、食べる食の問題も進化してくると思います。例えば、米の生産ですが、農家の後継ぎが、農家を継がずサラリーマンになる傾向が進んでいます。そうすると、耕作放棄地が増え、我が国の米の自給率も下がり、大きな問題になりかけています。これの解決のために、農業法人が今、急速に増加しています。そこでは、農業法人が農家の土地を、買ったり、借りたりして、効率化できる規模にして、あとは自動農耕機械を導入して、少ない人数でお米を作っています。これが将来は、農業法人が拡大するか、どこかの大手資本がこの事業分野に参入するかで統合されていくのではないかと思っています」、社長は「そうなるとどうなるのかね」、佐川取締役は「たぶんですが、生産調整や価格調整をしてくると思います。ただ、これは悪いとは言えないと思います。なぜなら、日本での生産が減少し海外から輸入に頼ることになったら、戦争や気候変動などの影響により、日本にとって不幸な事態になりかねないからです」、社長は「そうですね、そこで、この分野で当社が取組む事業はどんなことがありますか?」西峰取締役は「お米の栽培に関する、種の保存、種まき、苗管理、苗の植え付け、害虫・水管理、収穫、稲わら処理などの工程を自動化する機械の開発がありますか」、社長は「当社が参入する余地はありますか」、西峰取締役は「既存業者が取組んでいて、当社からも部材提供を行っているところはあります」、佐川取締役は「このことは、お米だけではなく、ほかの野菜や果物にも同じようなことが言えるのではないですか」、社長は「そうですね、お米だけではなく野菜や果物もその栽培に関する機械化がどうなっているか、西峰取締役に調査をしてもらいましょう。また、それらの機械装置を製造販売している企業の状況を山田取締役に調査してもらい。その結果を見て、当社の事業方針を決めましょう」ということになりました。この方針が出たときに山崎取締役が「社長、そうしたら、今は陸地の農作物の話でしたが、海産物についても同じことがいえるのではないでしょうか。今、海産物は魚でも貝でも養殖が進んできています。いずれは、計画的に収穫する時代が来ると思われます」、社長は、「そうすると、扱っている企業は違いますが魚介類も米や野菜と同じですね、西峰取締役、山田取締役、同じように調査してください」、二人の取締役は「わかりました」

倉石社長は「いろいろ意見がでましたが、最後にこれだけは言いたいという方はいますか」、そこで佐川取締役が「今の世の中が続くとすると、世界中のどこかで戦争が行われていると思います。加えて核兵器の使用も懸念されます。そこで、シェルターの需要が出てくると思います。

私の想像ですが、シェルターも家族や個人ごとのシェルターが普及するのではないかと思っています。そのシェルターにはテレビ、通信機器が装備され、普段はそこで生活する人も出てくるし、シェルターごとの移動手段も増加してくるのではないかと思っています」、社長は「そうすると、先ほどの金属のハウスにつながりますね。この分野の検討を進めてみましょう」ということで、話し合いは終わりました。

倉石社長は、自分の机に戻り、今日出てきた未来の技術を項目別に書き出しまとめ、今日参加した役員ほかにメールで送信しました。その内容は次の通りでした。

一　空飛ぶ自動車（ジェット型とドローン型）
長距離移動はジェット型、短距離はドローン型で一家に二台は所有する
山田取締役が、現在、この空飛ぶ自動車の製造販売を検討している会社をリストアップしてそこを攻めていく

二　ガソリンに代わって水素をエネルギー源にする
今、原油、ガソリン、電気でエンジンやモーターを動かしているものは水素に代わる
水素で電気を起こすか、水素を直接ジェットエンジンなどに投入する
西峰取締役は、海水から水素を抽出することを研究すると同時に、それに取組んでいる会社がどんな会社があるか調査して、ゆくゆくは、この水素事業は当社が海水から

三　水素を取り出して、ボンベに注入して売りだすこと進めることとしたい

四　家庭で進化した３Ｄプリンターを使い金属やプラスチック製品製造バーコードを読み取れば同じものができる。家庭で一台必需品になり、化織が進化し、衣類製造機が家庭に一台必需品になる可能性はある
しかし、家に３Ｄプリンターを置くのはマニアか事業を行っている人で、衣類も３Ｄプリンターと同じように自宅でバーコードにかざせば衣類が出来上がるようになりますが、一般の人は買ってきた方が早く、当社が事業とするには難しいと判断

五　紙に変わり、タッチパネル型タブレットで、手書きのものも、自己保存、手紙代わり、本のように活用でき、大衆向け公開など自由に活用可能となる
山田営業取締役は、タブレット製造業者にペーパーレスタブレットとして売り出せば売上が伸びるとタブレット販売業者にこの話をしてタブレットの製造に必要な部品の供給に繋げる

人型ロボットの普及で、ロボットが掃除、洗濯、調理、を行い、ＡＩで友達になる家庭に最低一台、もっと先には、一人に対し一台所有する時代が来る
山田取締役は、人型ロボットを開発している事業者を調査する。西峰取締役は、当社で人型ロボットを製造販売できないか検討する

六　地球外周の宇宙空間の活用、世界旅行はロケットが地球の外周の宇宙空間を自由に行き来して、夜は宇宙空間で休み、昼は希望する地域にロケットで行って観光する。観光地では、ドローン型空飛ぶ自動車で移動する
当社がロケット開発するのはもう遅いので、ロケット開発業者への部品提供となる
宇宙空間のホテル製造はまだ開発しているところは少数の企業なので参入の余地はあるが、この事業は、量産化はできないし、利益計上は難しい

七　旅行は水中船で海の中の旅行もできるようになり、海中ホテルも増えてくる
ロケット技術や宇宙空間の建物が水中でも活用可能となるが、既存の構造材以外の金属での建物構築は、強度や価格面で問題がある、でも量産化や技術開発で強度もクリアしてくるのが、そこまで行くのがたいへんという話がでたが、他社がやっていないということで西峰取締役が当社も研究することになった

八　稲作は、農業法人が自動の作業機械を使い、消費量を加味して、生産する。野菜は、同じく農業法人が、野菜工場を増設して生産する。家庭菜園などは残る
お米だけではなく野菜や果物もその栽培に関する機械化がどうなっているか、西峰取締役が調査する。また、それらの機械装置を製造販売している企業の状況を山田取締役が調査して、その結果を見て、当社の事業方針を決める

九　漁業は、養殖が増加し計画的に収穫する
うなぎも養殖可能となり、まぐろなども養殖が増えるとともに、養殖でないものも増加してくる
西峰取締役と山田取締役が米や野菜と同じように調査して、結果を見て事業方針を決める

一〇　世界中で戦争がどこかで行われ、個人の核シェルターが人気となる
マイシェルターが世界的に普及し、そのシェルターには、テレビ、通信機器が装備され、普段はそこで生活する人も出てくる。シェルターごとの移動手段も増加してくる
既存の構造材以外の金属での建物構築と同じように西峰取締役が検討する

こうして夏場に未来の技術に対応する方針が決まり、取組みがスタートしました。期初に掲げた方針の実施状況は次の通りでした。

方針一の事業部の再編成は、次の通りに再編しました。
営業部署は、北海道、東北、関東、東京、東海、北陸、関西、中国・四国、九州などのエリアごとエリア業務部を設置し、このほかにＮＥＴ業務部、海外業務部を設置しました。製造は製造業務部とし、掛川がマザー工場でこのほかにエリア業務部の北海道、東北、関東、

東京、東海、北陸、関西、中国・四国、九州の拠点に倉庫と簡単な加工ができる工場を設置していきました。このほかに、開発企画業務部、製造調達業務部、管理業務部に再編成し事業活動が行われました。

方針二のブランド力のアップについては、期初の計画通り、テレビコマーシャル、新幹線の中の電飾広告や新幹線停車駅の広告看板などを実施し、ゴルフとラクビーの冠スポンサーにもなりました。また、全国の拠点において、「クリーン大作戦」を実施するとともに、拠点がある市の公共施設に寄付し、子供向けのイベントに参画しました。

方針三の事業間連携の強化は、当社のスパイダーソフトを活用し、成果が上がる体制に切替え実施しました。また、エリア事業部はそのエリア内のお客様からの受注により、製品の調達や加工組立てを行うので製造調達事業部とは十分な連携をとる体制に切替えました。また、お客様からの要望で、まだこの世にない製品の開発を求められる場合には開発事業部と連携し、お客様の交渉窓口は国内にあるが、実際に必要なところは海外の場合、海外事業部との連携強化を図りました。

方針四の顧客へのサービス向上は、役員が集まり意見を出し合いまとめた一〇項目の課題を実施していきました。

方針五の社員のモチベーションアップは、各部署、モチベーションをアップさせるためにどうしたらよいかの意見を出し合い、その具体的実行計画を立てて実施しました。結果は、部署ごとにばらつきはあるものの、総じて、目標設定をしたことで、社員のやる気が出て、それが、部署ごとの表彰にもつなげた結果、モチベーションは高まりました。

この中で、空飛ぶ自動車は、米国、欧州、中国などの企業が積極的に取組んでいて、その大半がドローン型でした。当社では、水素エンジン型に特化した部品提供と水素販売の水素事業とつながっていて、日本だけでなく世界の企業から多くの情報が提供されました。また、水素生産も海水から抽出する技術も確立し、大規模な水素生産工場を作ることになりました。加えて、水素ステーションを作る方向でなく、カセット化を進めることも決めました。

この期は、ＥＶの製造とエネルギー源の水素が全世界で取組み出し、その部品や水素供給を行っているトレンドアップの売上げは欧米を中心に急拡大していき、連結で八〇〇億円に達しました。

この年の世相では、アフリカ諸国の進化のスピードが速まり、同時に人口増も問題になってきました。人型ロボットが普及し始めて、ＡＩやメタバースが大きく進化しました。月への着陸が成功しいろいろな国が月旅行の計画をすすめ、コロナやインフルエンザに効果のある薬が開発されてきました。

リスク面では、ロシアとウクライナとの戦争でロシアが疲弊し、ルーブルの価値が大きく下げ国家存亡の危機が迫りました。温暖化が進み、北極の氷が解けるスピードが速まり、水没する国や地域が出てきました。また、第五次中東戦争でイスラム諸国対イスラエル＋アメリカの戦火が拡大しました。

# 第3章

# 第33期（2026年）
# 水素事業の本格的取組

| 第32期（2025年）実績 | |
|---|---|
| 売　上　高 | |
| 連　　結　　売　　上 | 800億円 |
| セグメント別売上 | |
| 機　械　部　品　部　門 | 480億円 |
| 電　気　電　子　部　門 | 140億円 |
| 水　素　関　連　部　門 | 180億円 |
| 従　業　員 | |
| 2,000名 | |

三二期の実績は、事業部の再編により機械系、電気系、ＡＩ・ＤＸ系の相乗効果が売上に貢献し八〇〇億円まで売上を伸ばすことができました。

昨年来、空飛ぶ自動車の業界はドローン型とジェット型で大きく分かれて開発されてきました。

ジェット型とドローン型の違いは、推進力が電動プロペラか小型ジェットエンジンかの違いで航続距離やスピード、移動時間が大きく違っています。

ジェット型は東京――大阪間を飛ぶことができ、富裕層の一部が購入してきています。ドローン型は富裕層と中流家庭で保有者が増加してきていて、これからも利用者が増加する傾向にあります。また、液化水素はカセット化が進み、自動車の燃料や、公共ガスが来ていない地方のガスに代わるエネルギー源として普及してきています。最近では、船舶に海水を汲み上げ、それを電気分解して作られた水素をエネルギー源として船舶を航行させる技術が進み、その水素製造装置の需要が高まっています。

国内では、今までのガソリンに代わるエネルギー源として水素が活用されてきていて、トレンドアップ社も売上が伸びてきています。加えて海外では、船舶の水素製造装置も需要が高まってきています。

これらのことから、第三三期のスローガンを「水素事業の本格的取組」としました。そして次の五方針を打出しました。
方針一　水素事業の本格展開
方針二　水素自動車と空飛ぶ自動車の技術開発
方針三　品質課題の克服
方針四　生産体制の強化
方針五　人材の育成
三三期の経営計画説明会での社長方針は次のことを倉石社長は話されました。
「今期は、なんとしてでも長年手掛けてきた水素事業をなんとか軌道に乗せたい。周りの環境も、脱炭素に向けて取組むのは、自然エネルギーの電力か、水素エネルギーかに絞られてきました。その中でも、当社は、長年水素を研究し、実用化に向け取組んできております。今年は、徹底的に事業化に向け取組むこととします。
そこで、方針一の水素事業の本格展開ですが、当社は、ＦＣＶの燃料電池車でなく、水素をガソリンと同じように直接エンジンに送り込む事業に特化したいと考えています。今、対象と考えているのは、水素エンジン自動車と空飛ぶ自動車のジェットエアカーを考えていますが、その先には、飛行機やロケット、船舶やクルーザー、作業現場のモーターに代わるエンジンや、家庭では、都市ガスやプロパンガスに代わるエネルギー源として活用が見込まれています。

当社の今期の取組みは、方針三の品質課題の克服にもつながりますが、水素をいかに、安全で簡単に低コストで持運びができ、その先のエンジンなどに脱着し送ることができるようにするかが当面の大きな課題です。といっても、エンジンへの脱着も今までの研究開発の取組から、その完成もあと一歩のところにあります、カセット型についても、すでに液体水素化にしてコンパクトになりつつありますが、まだ、カセットが大きいのが難点で、これをもう少しコンパクトにして、できれば将来はコンビニで販売したいと考えています。それを目指して開発の皆さんには取組んでほしいと思います。

方針二の水素自動車と空飛ぶ自動車の技術開発で営業の皆さんには、水素エンジン自動車と空飛ぶ自動車のジェットエアカーの製造メーカーに行き、当社から水素を購入するルートを開拓してもらいたいと思います。交渉に当たっては、カセットとの脱着のところで共同開発が必要になりますので、開発部を巻き込んで営業活動を行っていただきたいと思います。その際には、水素濃度やエンジンへの投入量により、エネルギー効率が変わってくるので、最小量の投入で最大のエネルギーを出す値を求めそれを自由にコントロールできる仕組みを開発していただきたいのです。

方針三の品質課題の克服は、先ほどのエンジンとの接合部において、欠陥があった場合には、水素爆発も考えられるので、慎重にかつ適正にその課題を解決していく必要があります。そのため、ここに携わる人は、信念をもって、絶対に譲れない安全と正確性を守っていただきたいのです。

そして方針四の生産体制の強化ですが、水素を製造する方法は主に三通りあり、そのひとつが石油や天然ガスに含まれるメタンなどの炭化水素を水蒸気と反応させて水素と二酸化炭素（ＣＯⅡ）に分離する方法、二つ目が石炭を蒸し焼きにして一酸化炭素（ＣＯ）の混合物である石炭ガスと水素をつくる方法、三つ目が水に電流を流して水素と酸素に分離する方法がありますが、最近では三つ目の水に電流を流して水素と酸素に分離する方法が一般的です。当社も海水を電気分解して水素を作っています。この電気分解装置を増強する必要があり、今後設備投資を予定しております。

最後に、方針五の人材育成ですが、今期は次の三分野の教育に力を入れて、それぞれに業界をリードする人材を育てたいと考えています。その一つが、水素に関わる知識を習得して、水素の取出し方をもっと簡単にできる方法を模索することと、活用方法、特にエネルギー効率を高める方法などを研究してもらいたいと思います。二つ目は、機械工学で、すべりや摩擦、バルブの知識を高め、当社の製品開発につなげていってもらいたいと思っています。三つ目は、電気工学で、その知識を学び、当社が手がける機械の電動化、装置化につなげていってもらいたいのです。そのため、この三分野に三名ずつ、大学に派遣することを考えています。

大学は、水素については東京工業大学の水素化学研究室、機械工学は豊田工業大学、電気工学は東京理科大学電気工学研究室で知識を習得してもらいたいと思っています。

まとめといたしまして、今期は、水素と水素自動車、空飛ぶ自動車の研究を進めるとともに、グローバルに事業を拡大させていく所存です」と挨拶しました。

三三期はこうして事業がスタートしていきました。この期は新設の水素電気分解装置が秋口に完成し期の後半で水素の販売が増加していきました。また、機械部品部門、電気電子部門の売上もお客様の取引先を網の目のようにつなげて取引開拓をすることができるスパイダーソフトの効果もあり、思った以上に売上が伸びました。そのため、調達面で不足する事態が発生しました。これを解決するために、倉石社長は調達担当の山崎取締役と佐川管理担当取締役を呼んで、対応を協議しました。まず、倉石社長から、「売上が急速に伸びているが、調達が間に合わない状況が出てきた。どうしたらよいか意見を聞きたい」、山崎取締役から「現状の外注業者の製造キャパはそんなに多くはありません。従って新たな外注業者を探さなくてはいけません」、倉石社長は「新たな外注先を一社ずつ開拓していくのは骨が折れるなぁ」、佐川取締役は「最近M&Aの仲介業者からよく会社のM&A情報をもらいますが、子会社として購入できる会社があるか確認してみます」、倉石社長から「ぜひ確認してください」と言われました。

よく会社に顔を出すM&Aの仲介業者の担当に連絡して、当社の外注先にふさわしい会社がないか確認してもらうことにしました。その結果、鉄とステンレスの金属加工、ダイカストの金型加工、アルミ鋳造や押出し加工など、これらを一括して行う業者の情報はありませんでした。佐川取締役は、あきらめかけたとき、M&Aの仲介業者の担当から、「これら小規模な業者の数社を外資系ファンドに出資させて纏め上げさせ、その会社をトレンドアップが購入するという方法もありますよ」と話をしてきました。佐川取締役は、もう一度、M&Aの対象企業を見てみました。加工技術や加工設備、鉄、アルミ、ステンレス、などの得意分野などと地域別などを見てみました。その中で当社が必要な場所と加工技術などをもった外注先五社をリストアップし、その五社をまとめてもらえるか、M&Aの仲介業者の担当に相談しました。その担当者いわく、「外資系ファンドであればお金になることはどんなことでもやりますよ。それも、五社のM&Aを纏め上げたらすぐにトレンドアップに売却できるのでこんなに短期間で稼げる案件はそうざらにありません」と太鼓判を押したような言い方でした。佐川取締役はこの話を会社に戻って、倉石社長と山崎取締役に相談しました。倉石社長からは、「当社が一社ずつ開拓していくには時間がかかりすぎます。そのようなM&Aができるなら、ぜひやりましょう」といって倉石社長と山崎取締役は佐川取締役が用意したM&A対象企業を確認しました。

翌日、M&Aの仲介業者の担当から連絡があり、外資系ファンドが五社のM&Aをとりまとめることをぜひやらせてくださいと連絡があったことが伝えられました。

それから約一ヵ月後、M&Aの仲介業者から連絡があり、対象の五社がM&Aに応じ、外資系ファンドがその五社の株式を一括購入することが決まったと連絡がありました。そしてトレンドアップへの株式売却条件は次のとおりでした。

その条件は、株価は五億円、五社合計の従業員八〇人、資産、負債をそのまま引き継ぐ、株式は全額トレンドアップに譲渡し、最初一年間は、五社それぞれの会社から一名取締役を出すこと、および本社を名古屋に置くことでした。

トレンドアップ内では取締役会で、この外注業者の購入を話し合い、調達先および外注業者の不足を補うことが先決だとして購入を決定しました。

購入する会社は、会社名を、ティーユー製造とし、社長は倉石社長が兼務することとしました。

そして、取締役としてトレンドアップから調達業務部の河合課長を抜擢することとしました。

外資系ファンドとの株式売買はその約一ヵ月後に執り行なわれました。

新会社のティーユー製造株式会社は、日本国内を南北に分かれているため、トレンドアップの掛川工場に集まってもらい社員同士の顔を確認しあいました。そして、新任の河合取締役を中心に全取締役が集まり、名古屋の本社事務所で打合わせを行い、五社のそれぞれの企業内容を分析して、トレンドアップの外注先としてのエリア別の機能を確認しあいました。

そして、トレンドアップの各エリア業務部からの受注を取り込んでいきました。

ただ、製造体制の強化は、ティーユー製造の買収だけではまだ不足が予想されるため、当社内で加工が不要な製品は直接お客様に購入してもらうことで卸値を省略することで安く購入してもらうことにして、その部品製造会社には、ほかの商品の価格を値引きしてもらう取引を進め、外注先のネットワークを増加させていきました。

一方、期初に立てた方針についての実施状況は次の通りでした。

方針一の水素事業の本格展開は、水素をガソリンと同じように直接エンジンに送り込む事業に特化して推進しました。それは水素エンジン自動車と空飛ぶ自動車のジェットエアカーの推進で、その先には、飛行機やロケット、船舶やクルーザー、作業現場のモーターに代わるエンジンや、家庭では、都市ガスやプロパンガスに代わるエネルギーを見据えていました。

また、水素をいかに、安全で簡単に低コストで持運びができ、その先のエンジンなどに脱着できるようにするかが当面の大きな課題でしたが、エンジンへの脱着も完成させました。

カセット型についても、液体水素化にしてコンパクトにしてコンビニでも販売可能な大きさにすることができました。

方針二の水素自動車と空飛ぶ自動車の技術開発については、営業担当者が、水素エンジン自動車を目指している日本のトミタ、米国のGN、ドイツのCNWに、空飛ぶ自動車ではジェットエアカー製造メーカーの日本のハンダ、HIH、カンサキに交渉していきました。交渉に当たっては、カセットとの脱着のところで共同開発が必要になるので、開発部を巻き込んで営業活動を行いました。そして、水素濃度やエンジンへの投入量により、エネルギー量が変わってくるので、最小量の投入で最大のエネルギーを出す値を求めそれを自由にコントロールできる仕組みを双方の会社と協力して開発していきました。水素エンジン自動車では、特に注力して交渉したトミタ、GN、CNWからは前向きに評価され順次導入していくこととなりました。ジェットエアカーは、日本連合としてハンダ、HIH、カンサキが協力して開発していくこととなりました。

方針三の品質課題の克服は、エンジンとの接合部において、慎重にかつ適正にその課題を解決していき、水素爆発が起きないと評価できる技術を開発担当は確立しました。

方針四の生産体制の強化は、当社が水素を製造する方法は、海水を電気分解して水素を作っていますが、今後の水素需要の拡大が予想されるため、国内では、仙台と岡山に、海外では、カナダのトロント、オランダのアムステルダム、タイのパタヤに水素製造工場を増設しました。これらは、ティーユー製造の工場として設置していきましたが、トレンドアップの掛川工場の製造部署もトレンドアップから切り離し、ティーユー製造に吸収させ、製造は、ティーユー製造に一本化させました。

方針五の人材の育成は、三分野の教育に力を入れて実施しました。その一つの、水素に関わる知識を習得して、水素の取出し方をもっと簡単にできる方法を模索することと、活用方法、特にエネルギー効率を高める方法などを研究するため、国の水素支援と東京大学や東京工業大学、企業ではトミタ、ハンダ、ＨＩＨなどが参加する産官学が協力して水素を研究するコンソーシアムに参加して知識を高めました。二つ目は、すべりや摩擦、バルブの知識を高める機械工学でこれも豊田工業大学などと共同で研究することとしました。そのため、大学には研究費支援として五百万円の寄付を実施しました。今年度はまだ、製品につながる成果は出ていませんが、取組んでいる中で今後製品化に繋げられるものが何点か出てきていました。三つ目の、電気工学は、機械装置の実務につながる知識を習得するため、東京理科大学電気工学研究室に三名社員を派遣して知識習得を図りました。

こうしてこの三三期は、機械部品部門が自動車および水素関連の機械器具類の売上が伸び、電気電子部品は製造業の自動化分野が好調となり、水素は水素自動車などガソリンに代わるエネルギー源として売上が伸び、連結で一二〇〇億円まで売上を伸ばすことができました。

この年の世相では、第五次中東戦争が終結し、自動車業界においてハイブリッド車、EV車、水素エンジン車が売上を競い合う時代になってきていて、これに加えてドローン式のエアカーが普及し始めました。また、ロケットによる宇宙空間への行き来が難なくできる時代になり、月に宇宙船を着陸させホテルとして活用を始めました。

一方、リスク面では、中国が台湾に侵攻し、米中戦争が危惧されました。また、北朝鮮が中国の台湾侵攻に合わせ韓国を攻撃、これに対し、アメリカが反撃して地上戦となりましたがすぐにピョンヤンはアメリカ軍に制圧されました。一方、ロシア・ウクライナ戦争では、ロシアがウクライナに小規模な核兵器を使用し、世界がこれに反発、ロシアが世界から見放され窮地に追い込まれましたが、これによりロシア・ウクライナ戦争は終結しました。

戦争以外では、国内の生産年齢人口が激減し、ロボットや機械化需要が高まりました。

# 第4章

# 第34期（2027年）
# 切磋琢磨と競業

**第33期（2026年）実績**

| 売上高 | |
|---|---|
| 連結売上 | 1,200億円 |
| セグメント別売上 | |
| 機械部品部門 | 650億円 |
| 電気電子部門 | 250億円 |
| 水素関連部門 | 300億円 |
| 従業員 | |
| 2,800名 | |

三三期の業績は、機械部品部門、電気電子部門が好調に売上を伸ばしたことに加え、予想外に水素部門も好調を維持し売上を一二〇〇億円まで伸ばすことができました。また、期の前半の課題であった製造調達体制は、ティーユー製造の買収や外注業者のネットワーク作りが寄与し、製造キャパを増やすことができました。そして今後もこの外注業者のネットワーク作りを強化していくこととしています。

前期の三三期実績を踏まえて、倉石社長は、第三四期のスローガンを「切磋琢磨と競業に打ち勝つ」にすると発表し、次の方針を打ち出し経営計画説明会で社内に発表しました。

方針一　グローバル営業
方針二　世界標準の技術
方針三　品質保証の充実
方針四　開発体制の強化
方針五　社員満足度の向上

「まず、前期の三三期において連結売上が一二〇〇億円と一〇〇〇億円を超えることができました。これは、社員の皆さんの日ごろの努力の賜物だと感謝申しあげます。次に、昨年は、戦争が激化して世界中が不安な時を過ごしましたが、それも、解決されつつあります。これからの各国は戦争でなく科学技術の進歩を競争する時代になると思われます。そんな中で、当社が進めている水素ビジネスや機械や電気電子ビジネスもこれから各国が競って技術開発をしてくるでしょう。すでに、機械の分野ではデンシー、ミツミ、ボッスなど、電気電子分野では、スニー、キャロン、サムシン、ナップルなど、ジェットエンジンでは、ハンダ、HIH、カンサキの日本勢に加えJE、P&H、ローストルイズなどで、自動車や空飛ぶ自動車ではトミタ、ハンダの日本勢とGN、ベント、CNW等の外国勢が競い合っています。

このようなビッグネームとこれからは、あるときは協業し、あるときはライバルとして戦わなくてはなりません。これを避けていたら当社の先行きは望めません。従って、今期は切磋琢磨と競業に打ち勝つことこそが大事だと思います。

それでは、五つの方針について説明します。

方針一のグローバル経営ですが、今期は、これから急速に発展が見込まれる水素事業について国内企業だけでなく、世界的企業も視野に入れて交渉していただきたいと思います。水素自動車については、日本のトミタやハンダだけでなく、GN、ベント、CNWなどの欧米企業にも積極的に水素自動車を進めていただきたいのです。それは、水素のカセットタンクからエンジンに投入するところのバルブを当社が進める基準にすることができれば、水素供給会社として優位に立つことができるからです。

グローバル経営は自動車業界だけでなく、半導体、電子部品、ジェットエンジンなどの世界的企業、インタル、サムシン、ナップル、今回精密工業、TMMC、JE、P&H、ローストルイズ、ボッスなどに取引開拓、深耕につながるスパイダーソフトを活用して取引ができるように進めていただきたいと思います。

方針二の世界標準の技術ですが、これから本格化する水素自動車や水素エンジンの注入バルブ、水素と酸素の供給割合をどのくらいにすれば、エンジンとしての力と走行距離を伸ばすことができるかなどの研究をしていっていただきたいのです。この技術が確立され世界的な企業で使われることになれば当社の製品が世界標準の製品となるのです。加えて、水素の圧縮技術を進化させ水素カセットタンクの小型化に取組んでほしいのです。これが可能になれば水素の供給体制が大きく変えることができます。

次に、方針三の品質保証の充実ですが、出荷した製品に傷があったり、社員の受付や検査ミスで顧客クレームなどは人間がやることなのでどうしても出てしまいます。当然このクレームの削減努力は必要ですが、もっと大事なのは、安全対策です。水素は爆発しやすく危険なものと思い込んでいる人がいますが、着火性はガソリンより温度は高く、水素が漏れても拡散が早く、ボンベなどから漏れてもすぐに薄まるため火がつきにくいのでそんなに危険なものではありません。しかし、扱いのルールを守らないと過去の経験から、爆発した場合には大きな損害が発生していますので注意が必要です。ここのところは、これから水素を活用していく企業にとっては事故を起こさない安全確保が重要ですので、この品質保証の充実には、私もその議論に入って進めていきます。

方針四の開発体制の強化ですが、世の中は、水素自動車や空飛ぶ自動車、エアジェットカーなどが急速に進化している一方で、身の回りの電気器具、機械装置は自動化が進み、半導体も微細化が進み現在では一ナノメートルまできています。我々はその微細な半導体の製造装置や搬送装置に適合する機械部品の開発と、自動化、ロボット化で活用されるセンサーなどの電気電子部品の開発、および水素関連では、水素製造の効率化と水素の運用や活用方法の研究開発を進める必要があります。そのために、昨年から開発人材を増やし現在では二〇〇人体制になっています。この二〇〇人が持ち場持ち場で、新製品やその活用方法を開発していただけたらこのトレンドアップの推進力が高まりますのでよろしくお願いします。

最後に方針五の社員満足度の向上ですが、昨年までは、社員の皆さんに人材の育成で皆さんに知識習得や会社への協力をお願いしました。今期は、会社が成長するかは社員一人ひとりが働き甲斐をもって仕事に取組んでもらえれば自ずと会社も発展するだろうという考えの下で、社員の皆さんの満足度を高める活動を行ってまいります」と説明を締めくくりました。

こうして三四期がスタートしました。

スタートしてすぐに世界展開をしている機械部品を製造販売しているボッスやミツミが当社の売上げが急増しているため、当社が積極的にセールスしている自動車や機械メーカーに担当者を送り込み、安値交渉をしてきました。これに対し、当社は、単に機械部品を売るのではなく、その機械部品を使って機械の動きや搬送などを電気電子部門と連携してお客様が想定していることを実現させることに注力した営業活動を行っています。つまり、その機械や装置の部材とその部材を使った装置の組立ての間に入り、部材の選定や装置の図面作成、あるいは、装置の組立まで取組む、機械・装置組立支援事業を行うこととしました。お客様にとっては、機械や装置の完成、そして正しく稼動するかが重要なので、ただの物売りにはいくら安くても手を出さないお客様が多くなっています。しかし、お客様の機械装置の要望はより複雑かつ精密さを求めてくるため、それに対応する技術力を高めていくことは結構ハードルが高かったですが、機械の組立や電動製品をつないで装置にする部署のメンバーは、新たな技術力が必要になる場合には、その担当メンバー数人が集まり、意見を出し合いながらチャレンジしていきました。こういった努力が、少しずつ業界内で定着してきていて、トレンドアップに頼めば、難しい組立もやってもらえるよ、部材提供だけの会社とちょっと違うね、という評判が出てきています。それは、スパイダーソフトを活用して新たな新規開拓を行う場合にも、当社を利用する利点として大きなセールスツールとなっています。

第三四期の期初に立てた方針は、社員が一丸となって取組んでいきました。

方針一のグローバル経営は、水素自動車について、日本のトミタやハンダだけでなく、GN、ベント、CNW等などの欧米企業にも積極的に水素自動車を進めていきました。水素のカセットタンク導入で、水素スタンドがいらないことなどに興味を示し、各社で検討することとなっています。また、半導体、電子部品、ジェットエンジンなどの分野にもセールスを強化していきました。水素関連については、三種類ある水素製造のうち、二酸化炭素（COⅡ）を排出して水素を作るグレー水素、天然ガスや石炭によりCOⅡは排出するが、そのCOⅡを回収して水素を作るブルー水素、太陽光発電などCOⅡを排出しないで水素を作るグリーン水素があります。世界的には、グレー水素やブルー水素が多いが、これからはグリーン水素の時代がくるといわれていて、欧米を中心に水素製造会社が乱立しています。日本にも、水素製造会社は日達、京芝、西京ガスなどが水素を製造し、その水素製造機械の会社も堀田製作所、エアーロックなどがあり、飛びぬけてシェアを伸ばしている企業はまだない状態です。自動車で言えば、水素供給網を旧ガソリンスタンド系でネットワークを構築しつつあります。このような状況の中、当社は、海水を汲み上げて、水素製造装置の近くに太陽光発電と海に風力発電を設置し、グリーン水素を生産しています。販売網は、当社の営業拠点や外注協力会社に依頼して水素供給網を構築しています。当社の考えでは、カセット型水素タンクの普及をめざしているので、ゆくゆくは、現在の水素供給しているところで大型タンクからカセットタンクに移して、エンドユーザーはカセットタンクを買い求めると思います。西峰開発担当取締役は、お客様がカセットタンクを差し替えるだけで水素を供給できる体制にしたいと考えているため、自動車の水素受給口とタンクの供給口との接合部分の開発を完成させ、これからはカセット水素タンクを自動車会社に売り込んでいく時期が来ています。山田営業担当取締役は、国内外の自動車メーカーに売り込み始めました。

方針二の世界標準の技術は、水素自動車や水素エンジンの注入バルブなど、水素と酸素の供給割合をどのくらいにすれば、エンジンとしての力と走行距離を伸ばすことができるかなどの研究を行いました。その結果、注入バルブのバージョンアップを行い、最適な供給割合も決定しました。また、水素の圧縮技術を進化させ水素カセットタンクの小型化にも取組んでいて、まだ完成までには至っていません。

方針三の品質保証の充実は、水素は火がつきにくいのでそんなに危険なものではありませんが、取扱ルールを守らないと大きな損害が発生する危険があるので、安全なルールを作成し、規定に盛込み、マニュアル化も実施しました。

方針四の開発体制の強化は、開発人材を二〇人増やし二二〇人の体制で、電気器具、機械装置、の自動化や通信機器に使われる一ナノメートルの微細な半導体の製造装置や搬送装置に適合する製品やロボット化で活用されるセンサーなどの電気電子部品を開発し販売していきました。

また、水素関連では、水素製造の効率化と水素の運用や活用方法の研究開発を進めていき、新たなコストを抑えた水素製造に取組み、水素を自動車産業以外にも活用するように取組みました。

方針五の社員満足度の向上は、佐川管理担当取締役が人事課長に命じ、社員満足度の向上のためのアンケートを実施しました。その結果を元に倉石社長は、労働時間の削減については、会議のスリム化を指示し、社員の希望を叶える人事制度の取組みとしては、社員からの上司評価と異動希望アンケートを実施しました。その結果を元に人事異動を企画することにしました。報酬については三一期に決定した税引き後利益の一割を社員給与に還元していることを考慮して不満の声は聞こえてこなかったが、人事評価の公平性の指摘が出ていて、これについては、目標管理制度を厳格運用するように倉石社長から佐川取締役に指示が出て、目標や結果が数値で表すようにしました。

この期には、五月に日本近海の南海トラフで地震が発生、太平洋側で大きな被害が発生しました。この地震発生に伴い日経平均株価が大きく下げました。

この地震の当社への影響は、掛川工場の建物が一部倒壊、幸いにも社員への人的被害はありませんでしたが、社員の家族で数名が亡くなり、けが人も多数出ました。一番大変だったのはネットワークの回復に時間がかかったことでした。掛川工場はネットワークが三日後には回復、五日目には七〇％まで機能が回復し、建物の修理は三ヵ月後には終了しました。しかし、この地震の影響でお客様の工場なども被害が大きい所もありましたが、被害は東海から関西の太平洋側に集中し当社の被害は限定的でした。

このような状況で期末を迎えました。そして三四期の実績は連結売上が二〇〇〇億円に達し、機械部品部門が三五〇億円、電気電子部門が二〇〇億円、水素関連部門二五〇億円の大幅な増収を達成することができました。

この年の世相では、南北朝鮮戦争はアメリカと韓国軍が北朝鮮に攻め込み、ピョンヤンを制圧し、金将軍はロシアに逃げて戦争は終結しました。

昨年、ロシアがウクライナに対し小規模だが核兵器を使用したため、核の攻撃から身を守るための核シェルターの人気が高まりました。また、工場内での自動化が進み人型ロボットが普及、これに沿って、家庭でも人型ロボットが急拡大し、アバターコミュニケーションが進みだしました。

自動車では自動運転が普及してきましたが、事故はどうしても発生し、その対策が自動車業界の競争源となり広告も大きく取上げています。一方科学技術の進歩は、宇宙空間にホテルが開業し、水中旅行がいつでもできるようになってきました。また、がん医療が進み、平均寿命が伸びてきています。

リスク面では、五月に日本近海で南海トラフ地震が発生、太平洋側で地震と津波で大きな被害が発生、死者が三〇〇〇人を超える惨事でした。これにより一時、日本経済はマヒ状態になりましたが、秋以降は徐々に経済は回復し株価も年末には震災前に戻しました。

中国の六人乗りの月への人工衛星が大気圏突入時点で爆発し、大きな話題となりました。台風や日照りなどの自然災害が活発化して、世界中で被害が続出しました。

# 第5章

# 第35期（2028年）
# 品質問題の発覚

| 第34期（2027年）実績 | |
|---|---|
| 売上高 | |
| 連結売上 | 2,000億円 |
| セグメント別売上 | |
| 機械部品部門 | 1,000億円 |
| 電気電子部門 | 450億円 |
| 水素関連部門 | 550億円 |
| 従業員 | |
| 3,500名 | |

三四期の業績は、機械部品部門で、他社の部材商社ではマネができない機械の組立や電動製品をつないで装置にする事業、機械・装置組立支援事業が国内外で功を奏し、半導体や自動車、電子部品のグローバル企業と取引ができ三五〇億円の売上増となりました。電気電子部門ではロボットや機械装置の需要が旺盛で二〇〇億円の売上を伸ばすことができました。また、水素関連事業では、水素製造装置の稼働率が高まったこととトミタやGNなどの世界的自動車メーカーとの連携が可能になったことなどが寄与し二五〇億円の売上増となりました。

倉石社長は、第三五期のスローガンを「品質向上によるブランド力強化」としました。これは、昨年、検査数値の偽証で結果的に人身問題まで発展し大量のリコールを発生させた自動車会社やCOⅡ削減の取組不足で、COⅡを出し続けた化学会社、残業が多く自殺者が複数人出た半導体製造メーカーなど、世間を騒がして、自社ブランドを毀損した事例から、このようなことにならないようにと品質問題を取上げました。そして具体的方針として次の五つの方針が打出されました。

方針一　世界的ブランドの確立
方針二　統一された品質保証
方針三　水素カーの普及

方針四　水素ジェットの開発
方針五　社員の向上心高揚
経営計画説明会で倉橋社長は、この方針を社員に向かって次の内容の話をしました。
「方針一の世界的ブランドの確立は、当社が扱っている機械部品や電気電子部品の取扱アイテムは多くありますが、その製品がすぐに当社トレンドアップにつながるものではなく、一般の方にはイメージがわかないと思います。つまり、この製品群がブランドにつながりにくいということです。これに対し、当社が開発したカセット水素タンクは独自色が強く、今は、自動車向けに進めていますが、ゆくゆくは、家庭内のガスや電気に代わるものになっていきます。従って、このカセット水素タンクを当社のイメージ製品として広告やテレビコマーシャルも行っていきます。そして、グローバル展開しているコンビニで販売を行っていきます。さらに、四つの自動車レースにも協賛し、当社と水素提供を契約している自動車メーカーに無償供与を行っていきます。
その四つのレースは、四本のタイヤがボディやカバーで覆われずにむき出しで屋根のない一人用のレース用マシンのレースがフォーミュラーカーレース、市販のスポーツカーやスポーティーカーをレース用に改造した車によるレースがＧＴカーレース、二ドアや四ドアのクーペやセダンをベースにレース用に改造した車によるレースがツーリングカーレース、レース専用に造られたスポーツカーでのレースがスポーツカーレースで、ル・マンやデイトナなどの二四時間レースなどです。これらの場で当社のカセット水素タンクをPRしていきます。

次に、方針二の統一された品質保証ですが、これは冒頭でも品質問題が自社ブランドを大きく毀損する話をしました。この対策として、クレーム発生後に対策を立てるのではなく、クレームを発生しない対策を立てなくてはなりません。そのためには、規則やルールを守ることから始めなくてはいけません。よくある事例としては、一人の人間の権限が強くなり、間違っていてもNOといえない体制で品質保証問題が発生しています。このところをWチェックなどのルールを決め、それを守る企業風土を作っていく必要があります。そのために、「会社と自分を守る連絡箱」を設置することと、「会社と自分を守る電話相談」として部長以上であれば誰でも相談を受けることにし、この電話を受けた場合は、取締役会議案として上程することとしました。

方針三の水素カーの普及については、時代は、EVの電気自動車から水素自動車に移ってきています。EVの問題点は、蓄電池への充電時間がかかるという問題があります。ガソリンスタンドのような供給体制については、ガソリンスタンドのネットワークのような供給基地を広げていてEVも水素自動車も同じようなものです。そこに当社は水素カー向けのカセット水素タンクの普及を目指しています。昨年から、EVのカセット蓄電池を販売する業者が現れましたが、蓄電池の放電問題があり、なかなか浸透はしていません。一方で、水素自動車とEVのハイブリットカーが日本の自動車メーカーから発売されています。これによると、通常の水素自動車で使用される水素の量の半分の量で同じ距離を走れます。つまり水素の使用量は減ることになりますが、全体にハイブリッドを含め水素自動車の利用が高まれば当社にとっては良いことになります。したがって、ここでカセット水素の売込みが成功すればグローバルにカセット水素が販売されますのでここが山場です。

次に方針四の水素ジェットの開発ですが、時代は空飛ぶ自動車の時代になりつつあります。空飛ぶ自動車は、ドローン型とジェット型の二つが主流で開発されてきています。近くに移動の場合はドローン型でいいのですが、少し遠くに行きたい場合はジェット型エアカーが便利です。

この水素ジェットの開発は、当社では小型ジェットエンジンに水素を供給するものです。ジェットエンジン用のカセット水素タンクの開発や水素タンクからジェットエンジンへの供給バルブの開発も終了しているので、エアカーの製造会社に売り込んでもらいたいのです。

最後に方針五の社員の向上心高揚ですが、社員の皆さんに言葉だけで向上心を高めてくださいといっても、何をしたら良いかわからないと思います。各セグメント別、及びエリア業務部別に自分たちが取組む課題や方向性を打ち出してください。その課題や方向性に合わせて社員の皆さんの目標を定め、その目標を達成させるための取組手段を計画し、それを達成するように努力してほしいのです。そして、その結果は、適切に人事評価につなげていただきたいのです。

さらに人事評価は、この目標管理、チームへの貢献、知識技能のレベルアップの三項目を中心に数値化して評価してほしいのです。それができれば、毎年、社員の中で特にすばらしい技術開発や売上に貢献があった社員にベスト貢献賞を数名にあげる予定です。

以上の五つの方針で今期を戦います。皆さんの活躍を期待します」と締めくくりました。

この年は、機械・装置組立支援事業では工場を持つ企業は、従来は人が行っていた工程を今では自動機や装置、ロボットが行うようになってきて、そこでのノウハウの蓄積がある当社は有利で、センサーや自動化向け電気電子部門、カセット水素タンクなどのライバルとの差別化戦略が功を奏し売上が伸びました。

また、水素関連部門では、水素エンジンと水素ＥＶのハイブリッド車が開発され、水素の使用量を削減することができるようになりました。

この年の、期初に立てた方針の実行状況は次の通りでした。

方針一の世界的ブランドの確立は、当社が扱っている製品群がブランドにつながりにくいということで、当社が開発したカセット水素タンクを当社のイメージ製品として広告やテレビコマーシャルを実施しました。そして、このカセット水素タンクをグローバル展開しているコンビニで販売を実施しております。加えて、期初に計画した四つの自動車レースにも協賛し、当社と水素提供を契約している自動車メーカーに協賛金の支払いを実施し、当社のカセット水素タンクのＰＲを行いました。

次に、方針二の統一された品質保証ですが、クレームを発生しない対策を立てるため、Ｗチェックなどのルールを決め、規則やルールを守ることを企業風土とするような社内研修を実施しました。そして会社と自分を守る連絡箱を設置し、会社と自分を守る電話相談で部長以上であれば誰でも相談を受けることにしました。この電話を受けた場合は、取締役会議案として上程することを社内に告知しました。

方針三の水素カーの普及については、ＥＶの電気自動車は蓄電池への充電時間がかかることと充電スタンドが不足しているという問題があり水素自動車に移ってきています。そこに当社は水素カー向けのカセット水素タンクの普及を目指してコンビニでも水素タンクの販売を行っています。昨年から、ＥＶのカセット蓄電池を販売する業者が現れていますが、蓄電池の放電問題があり、なかなか浸透していないのが実態です。一方で、水素自動車とＥＶのハイブリッドカーが日本の自動車メーカーから発売され売れ始めています。これは、通常の水素自動車で使用される水素の量の半分の量で同じ距離を走れるので当社にとってはマイナスかと思われますが、そうではなく、水素自動車の普及に貢献されるので当社にとってはウエルカムとなっています。

次に方針四の水素ジェットの開発ですが、当社では小型ジェットエンジンに水素を供給するもので、ジェットエンジン用のカセット水素タンクの開発や水素タンクからジェットエンジンへの供給バルブの開発も終了しています。今後は、更なる、安全性と、水素効率を伸ばし、長距離運航できるようにすることです。従って、水素ジェットを製造する企業や、その水素ジェットを活用する企業に当社の水素を利用するように営業が交渉していきました。

最後に方針五の社員の向上心高揚ですが、当初の方針通り、各セグメント別、及びエリア事業別に自分たちが取組む課題や方向性を打出して、その課題や方向性に合わせて社員がその目標を定め、その目標を達成させるための取組手段を計画し、それを毎月チェックしてきました。

その結果は、徐々にではありますが、社員の顔色が変わってきたように感じていると佐川取締役は語っています。そして人事評価は、この目標管理、チームへの貢献、知識技能のレベルアップの三項目を中心に数値化して評価を行い、ベスト貢献賞を八名の社員が受賞しました。

　こうして、第三五期の売上は連結売上二八〇〇億円まで伸ばすことができました。

　この年の世相では、昨年の南海トラフ地震の復興が始まり、人が住む街と農業地域の線引きが始まり、大規模農場化と漁業の養殖化が進みました。科学技術の面では水陸両用車が普及し始め、ほとんどの企業がペーパーレスになり、ワイヤレス充電が進みました。

　一方、リスク面では、大規模自然災害（台風、少雨、集中豪雨、山火事）が多発し被害が各地で発生しました。

　前年の南海トラフでの地震の影響で経済が一時的に大きく落ち込みましたが、復旧は早く、ほとんどの企業は年末には、通常通りに戻ってきました。また、地球の温暖化が進み、世界各国で水没する地域が出てきて、国連ではＣＯⅡ削減だけでなく他の取組みを目指す動きが出てきました。たとえば、砂漠地帯に定期的に雨を降らせ、植物を育てるのもそのひとつでした。

# 第6章

# 第36期（2029年）
# ライバル社の台頭

**第35期（2028年）実績**

| 売上高 | |
|---|---|
| 連結売上 | 2,800億円 |
| セグメント別売上 | |
| 機械部品部門 | 1,200億円（+200） |
| 電気電子部門 | 580億円（+130） |
| 水素関連部門 | 1,020億円（+470） |
| 従業員 | |
| 4,300名 | |

三五期の業績は、機械・装置組立支援事業がお客様のニーズを捉えました。お客様が行いたいワークをいろいろな角度から提案し、最良の機能に仕立てあげる当社の姿勢が、この分野でのアイテムや製品のブランド品はありませんが、この機械・装置組立支援事業が当社のひとつのブランドになってきました。

その結果、前期は機械部品部門で二〇〇億円、電気電子部門で一三〇億円の売上を伸ばすことができました。水素関連部門では、エンジンに直接水素を投入するカーメーカーが世界的に増えてきていて、水素タンクとエンジンに投入するバルブ開発で競合他社とトップを争うところにきています。加えてカセット水素タンクは当社が先行しています。その結果この水素関連部門では前期売上を四七〇億円増加させることができました。

そこで倉石社長は、第三六期のテーマを「社会に貢献する技術力を磨く」とし次の五つの方針を打出しました。

方針一　求められる技術力を磨く
方針二　新製品の先行開発
方針三　水素製造のコストダウン
方針四　アルミ合金の開発
方針五　会社の魅力を高める

第三六期の経営計画説明会で倉石社長は、テーマと方針について次のとおり説明しました。

「当社トレンドアップは社員の皆さんのおかげでここまで順調に業績を伸ばしてきました。

これも一重に社員の皆さんの向上心を持って業務に取組んでくれたおかげです。感謝申しあげます。昨年は、世界的ブランドの確立に取組んできましたが、機械・装置組立支援事業や水素製造やカセット水素タンクのヒットで、世界的ブランドを目指すスタートラインに立つことができたと思います。このブランド力をアップさせるためには、社会に貢献することをPRしていく必要があると考えテーマを社会に貢献する技術力を磨くとしました。これは、自動車産業、半導体産業、電子部品産業などは、直接消費者に製品を届け、社会貢献を果たしていますが、当社はその縁の下の力持ち的存在で貢献しています。具体的には、自動車産業では、自動車製造に掛かる製造の自動化、省力化ラインや装置で貢献しています。半導体産業では、半導体製造の装置自体や半導体製造の工程間の搬送で貢献しています。また、電子部品も同様です。しかしながら、当社の社会貢献は一般社会からはわかりにくいのも事実です。そこで、今期は、それらの産業で使う部品や装置、電子部品などの技術力を高め、トレンドアップが新たに開発したこの部品や装置で自動車製造に貢献していることをPRしていきたいと思います。半導体や電子部品も同じです。また当社は、ガソリンエンジンでなくEVでもない、環境にやさしいグリーン水素エンジンを提供し水素エンジン自動車や水素エアカーで環境にやさしいＳＤＧｓに貢献していることをＰＲしていきたいのです。そのための技術力を磨いていただきたいと思います。

次に今期の取組課題として、発表した五つの方針について説明します。

方針一の求められる技術力を磨くですが、これは今期のテーマのところで説明した内容ですが、お客様が求める用途や強度に対し、お客様と一緒にその用途や強度に合う部材を開発し、レベルアップしたお客様の製品開発に協力することで、当社も社会貢献を果たしていきたいと考えています。また、機械装置やロボットでは、センサーやＡＩを駆使した製品が次々に発表されており、これらの電気・電子・光分野での開発も不可欠です。今までこの世にない製品を作りあげていただきたいと思っています。特に光の分野は安全や自動化にとって無くてはならない技術です。ぜひこの分野で切磋琢磨して新しい技術を開発していただきたいのです。

方針二は、新製品の先行開発です。これは、ロシア・ウクライナ戦争終結から二年が経過しましたが、このときロシアが使った核兵器が世界の人々には鮮明に記憶され、この核から逃れるための核シェルターが意識され始めてきています。最近では、はなれ的な住空間と自動運転車が融合した「動く住空間」の人気が出てきています。そこで当社は核兵器の高熱に耐えられるように、この「動く住空間」をロケットの高力アルミニウム合金で囲って作り上げたらどうかと考えています。今、この「動く住空間」のデザインや機能を考えています。そしてこの「動く住空間」のネーミングは「スミカー」です。このスミカーは、ゆくゆくは、ジェットエンジンを積んで空中を移動する時代が来ると予想しています。

次の方針三の水素製造のコストダウンですが、当社は、太陽光や洋上風力発電で得た電気で水を電気分解して水素を作っているのでグリーン水素を製造していますが、これからの課題は、コストを抑えて水から水素を作ることです。その方法は、水を電気分解して水素を作る場合、酸素が同時に発生するため化学反応を起こすと爆発の可能性があるので分離膜が必要になります。この分離膜がコスト増の要因になっています。そこで当社では水素と酸素を取り出すタイミングをずらして分離膜がいらないで、効率的に電気分解を進める方法を検討中です。今期中にこの技術を完成させたいと思っています。もしこの技術が完成したらコストは今より一割まで下げられる予定です。

方針四のアルミ合金の開発ですが、先ほど、「スミカー」のところでお話ししました高力アルミニウム合金ですが、耐熱性と溶接性に強く優れた素材ですが、合金成分に耐食性に有害な物質を含有しているので、空気や水が存在しないで腐食が起こることの無い宇宙空間では最適な素材ですが、地上では今のところ活用しにくいものです。ここを腐食しない新たな合金の開発ができればスミカーだけでなく、新たな部品の素材に活用できると考えています。

そして最後の方針五の会社の魅力を高めるですが、このトレンドアップという会社で働いていることを社員の皆さんに誇りを持っていただくためには何が必要かを考えた時、社外の人がうらやむほど魅力ある会社にしていきたいと考えたのです。では具体的には何をするのかですが、今はその案は私には持ち合わせていません。それを、佐川取締役を中心に、各部署で、魅力ある会社とは何かの意見を出し合い、それをひとつのキーワードにまとめ、そのキーワードの魅力ある会社になるためにはどうすれば良いか、また意見を出し合って、行動目標を決めて、部署ごと社員ごとその目標に向かって努力をしていただきたいのです。

今期は、南海トラフ地震の復興も進み、世界中で景気が改善されると予想されていますので経営理念にもありますように、開発力・技術力で世界をリードして、社員全員で企業内容や人間性を良くする企業風土を作り続けていきましょう」と締めくくりました。

三六期は、自動運転事故や空飛ぶ自動車の墜落事故の品質問題も収まりを見せ、ブランド力も高まりつつあります。会社としては打出した五つの方針に基づいて事業を進めていきました。

世界的な景気は好調に推移して市場は拡大してきましたが、当社の急成長をまねて中国企業が世界的に安値構成をかけてライバルとして急浮上してきました。これに対し、当社は、今期の方針をきっちりと実行していくとし、中国企業対策は立てないで行こうと決めました。

期の最初の頃は、米国や欧州で当社の取引先企業もこの中国メーカーに手を出しました。このメーカーは、当社をまねて、機械・装置組立支援事業にも手を出し、お客様と相談しながら機械・装置の設計や組立て支援を行ってきましたが、簡単な物は良かったのですが、少し複雑なものになると技術力が中途半端なため投げ出してしまうことが、しばしば発生しお客様の不満を招きました。中には、中途半端で投げ出したため、お客様でもその後の対応ができなく、当社に救済を求めてくるお客様もありました。

当社が掲げた方針の実行状況は、方針一の求められる技術力を磨くことについては、お客様が求める用途や強度に対し、お客様と一緒にその用途や強度に会う部材を話し合いや実験をしながら作り上げていきました。いろいろな技術にチャレンジした結果、その技術がデータとして蓄積され、次回、同じような案件があった場合には、参考にすることができました。この技術力を磨くことにより当社の技術力は高まりましたが、それよりも、お客様からの信頼が高まったと山田取締役がコメントしています。

方針二の新製品の先行開発ですが、スミカーの技術面やデザイン、機能面などは完成して、最後の核兵器の熱にも耐えられる外装パネルが完成したので、来期には販売できるところまできています。また、水素の活用の新分野として医療向けを検討しています。水素は活性炭素を消去する抗酸化作用があり健康維持、病気予防、老化予防、病気治療に役に立つと言われ、がんにも医療効果があると言われています。そのため、医薬品業界や大手病院と研究を始めていて、当社のカセット水素タンクを利用いただいています。

方針三の水素製造のコストダウンは、分離膜を不要とし、更に海水のままで電気分解をして水素を取り出すことを検討中で、その開発はもう一歩のところまで来ています。これができるようになれば画期的な開発で、水素活用が一段と進みます。当社は、来期にはこれを完成させたいと思っています。

方針四のアルミ合金の開発は、腐食しない新たな合金の開発が完成したので、これをスミカーだけでなく、耐熱性が求められる素材の場合に適応させていきます。特許も申請中なので有力な製品になり、これを来期以降販売していく計画です。

方針五の会社の魅力を高めるは、各部署から出てきたキーワードは、「高品質で役に立つ会社」「働いていて楽しい会社」「気軽に話せるコミュニケーションが良い会社」などが出てきて、その対策の目標を「自分の仕事を高める努力をすること」「目標を持って楽しく働くこと」「ほめる文化の定着」をかかげ、それぞれ社員は実行しました。結果は、数人の社員へのヒアリングでは会社の魅力は高まったと回答がありました。

そして、この期は、世界中で自動運転の自動車やドローン式の空飛ぶ自動車の生産が多くなり、当社の製造部品や機械、装置など機械部品部門や電気電子部門の売上が増加しました。また、水素関連部門では、カセット水素タンクの売上が安定成長軌道に入り売上を伸ばしました。

この結果、第三六期の連結売上は四一〇〇億円まで伸張しました。

世相では、日本の復興エネルギーは旺盛で、経済は上昇に転じて活発化してきました。そして自動運転のＥＶまたは水素自動車が市中を走り回り、ドローン式のエアカーがよく見かけるようになってきました。自動車は、水陸両用の自動車も販売され、海の中に水中ホテルが開業しました。また、船舶では、船上で水素生産を行い、その水素で航行する船が出てきました。

リスク面では、新種の感染症が猛威を振るい、コロナの再来かと思われましたが、年末にはワクチンが開発され、沈静化に向かっています。また、ドローン型エアカーの衝突や落下事故が増加し、安全走行のルール厳格化が求められてきております。

人の動きを見ると、人口が都市部に集中し、高層ビルが目立つようになってきました。高層ビルの中には、高層階でエアカーの駐車場も備えた高級タワーマンションも出てきています。反面、過疎化が進み、熊などの動物被害も増加してきました。

# 第7章

# 第37期（2030年）
# 人事戦略

| 第36期（2029年）実績 | |
|---|---|
| 売　上　高 | |
| 連　　結　　売　　上 | 4,100億円 |
| セグメント別売上 | |
| 機械部品部門 | 1,750億円（+550） |
| 電気電子部門 | 680億円（+100） |
| 水素関連部門 | 1,670億円（+650） |
| 従　業　員 | |
| 5,100名 | |

三六期の業績は、自動車業界で、自動運転やエアカーが活況となり、それに伴う半導体業界も活況となりました。世界および日本の景気が好調に推移し、多くの企業の業績が改善しました。

この企業業績の改善に伴い、当社の機械部品部門で五五〇億円、電気電子部門で一〇〇億円の売上増となりました。また、水素関連部門でも水素エネルギーの活発な利用が進み、中でも水素カセットタンクの売上が増加し六五〇億円の売上増とすることができました。しかしライバル社も業績を伸ばしてきており、このライバル社との差別化と更なる飛躍のため社内体制を強化する必要があるとして、倉石社長は第三七期のテーマを「競業他社との差別化と社内開発強化」とし、次の五つの方針を示しました。

方針一　競業他社に勝てる営業力強化
方針二　お客様が求める世の中にない製品開発
方針三　社内経費見直しによるコストダウン
方針四　ジェットエアカー向けの製品開発
方針五　経営理念の徹底

倉石社長は、第三七期の経営計画説明会で、テーマと方針について次のとおり説明しました。

「世の中は今年、大きく変わる年です。そのひとつは、デジタル通貨が世界共通として運用が始まります。これにより、今まで為替の影響は少なからずありました。これからは為替の影響がなくグローバルに取引ができるようになります。そうなると需給バランスで価格が決定されることになります。また、リニア新幹線の品川から名古屋間が開通します。東京名古屋間が六七分で行けることになります。このように世の中が変わることを考えると当社もいろいろと変革をしていかなければなりません。そこで、第三七期のテーマを、競業他社より先に変革をして差別化を図り、これから先のトレンドアップの更なる発展のために社内開発を見直したいと思い、テーマを「競業他社との差別化と社内開発強化」としました。そしてこのテーマを実行するために五つの方針を立てました。

その方針一として、競業他社に勝てる営業力強化に取組みます。これは、他社に勝る製品群を有していると思いますが、それを、スパイダーソフトを駆使してお客様同士を結びつけたり、受注処理システムを改良し、使い勝手の良いシステムに改良していくなど競業会社にないサービスを提供していきたいと思います。

方針二のお客様が求める世の中にない製品開発ですが、特に要望が多い製品は、エアカーに搭載装備される内装・外装品の軽量化製品の開発です。ドローン型エアカーは、低空飛行法が施行され普及が一段と進んでいるので、エアカーの製造会社では他社製品との差別化で電力使用料の削減を競っています。そこで当社では、ドローン式エアカーの主な重量を占めるモーターについて開発を進めています。それは、樹脂材料にガラス繊維の強化材を添加した複合材でモーターを構成し、電気を通すところだけアルミを使用することで従来重かったモーターの軽量化に取組んでいます。この開発を完成させたいと思います。

次に方針三の社内経費見直しによるコストダウンですが、当社では三二期にペーパーレス化を導入し、今では、外部から送られてくるものや、契約書などの一部のものしかペーパーを使うことはなくなりました。その分、パソコンデータでの受渡しや、承認決裁に代わっています。

あとは、データ処理する場合、自動化を進めれば、人が介在するケースが減り、間違いも防げ、人材も、ほかの仕事ができるようになります。製造経費削減では、水素を製造するときに分離膜がいらない電気分解を今期、なんとしても開発させたいと考えています。

そして方針四のジェットエアカー向けの製品開発ですが、ハンダジェットを製造販売しているハンダの協力を得て水素ジェットエンジンの効率の良い水素燃料の供給割合を研究中で、水素供給のバルブの開発を行っています。また、液化水素タンクの製造も行っております。また、ジェットエアカーの構造材は基本アルミで外側に腐食しない高力アルミニウム合金を開発し提供していきたいと考えています。

方針五の経営理念の徹底ですが、当社は三つの経営理念を念頭に経営を行っていますが、数年に一度は、この経営理念を見直す機会があっても良いと思うのです。経営理念のその一、お客様と社会の発展に貢献するですが、今、当社は急速に発展を遂げています。このスピードの中で、このお客様と社会の発展に貢献しているかを見直してみたいと思ったのです。確かに自動運転、エアカー、ロボット、水素販売と事業を拡大してきましたが、何か見落としがないか見直してみたいのです。技術革新には貢献してきていると思いますが、人間的視点、社会的な視点でもっとやることがないかです。たとえば出産、育児、介護、教育面で当社が何か担うものはないかということです。また、経営理念の開発力・技術力で世界をリードするですが、日本国内では、開発力も技術力も認知されてきたと思いますが、世界をリードしているかといえば、先行するグローバル企業はまだまだあります。従って、もっと世界に目を向ける必要があるということです。そして企業内容や人間性を良くする企業風土を作り続けることですが、急ピッチで事業拡大が進み、社員の皆さんにはたいへんご苦労をかけているかと思います。夜遅くまでとか休日出勤されている方もいると思います。会社としては、業績発展は望むところですが、あまりにも無理な状態で受注をするなどは控えていただき、お客様にも我慢していただくこともＷＩＮＷＩＮの状況を保つためにも必要なことだと思います。その場合にも、お客様とよくコミュニケーションをとって、お互いに納得して受注することが大切だと考えています。

最後に、今期も忙しい毎日が続くと思いますが、このトレンドアップをもっともっと良い会社にしていけば、そこに携わった社員の方もきっと成長していると思いますので、今年もがんばりましょう」と締めくくりました。

こうして三七期は好景気を迎えたまま新たな期に入っていきました。トレンドアップ社では、期初に定めた五つの方針を進めていきました。

まず、方針一の競業他社に勝てる営業力強化は、第一に、スパイダーソフトを駆使してお客様同士を結びつける活動を行いました。お客様からは、ただ部材提供だけでなく、顧客を紹介してくれることはたいへんありがたいと感謝されました。その中で、お客様同士の話の中で新たな製品開発の案が出てきて、当社の受注に結びついたこともありました。また、受注システムが他社より手間がかかる部分があり、受注処理システムを改良し、使い勝手の良いシステムに改良しました。

さらに、お客様から質問を受けてもすぐに答えられるように、毎週、勉強会を開催し、営業担当者の知識向上を図りました。こうして競業会社にないサービスを提供していきました。

方針二のお客様が求める世の中にない製品開発については、エアカーに搭載装備される内装・外装品の軽量化製品の開発を行いました。そのひとつが、モーターの軽量化で樹脂材料にガラス繊維の強化材を添加した複合材でモーターを構成し、電気を通すところだけアルミを使用することで従来重かったモーターの軽量化が図れました。更に、外装や内装材としてセルロースナノファイバーを使った製品を提供していきました。

方針三の社内経費見直しによるコストダウンは、全社を上げて、人が介在してパソコン操作しているところを見直して、ＡＩやパソコン機能の連動化で自動化できないかを確認し、自動化できるところは自動化しました。そこで、全社の中で約一〇人分の作業が自動化され、この一〇人分浮いた分を、営業支援にまわしました。中でも五名は仕事が無くなったので、ＮＥＴ業務部に移動させ、ＮＥＴ受注の増強に取組んでもらうこととしました。また、製造経費削減では、水素を製造するときに分離膜がいらない電気分解の開発が完成し、大幅なコストダウンが可能となりました。

方針四のジェットエアカー向けの製品開発では、水素ジェットエンジンの効率の良い水素燃料の供給割合を研究して、水素供給のバルブの開発を行っていましたが、ほぼ完成に近づきました。また、ジェットエアカーの構造材は基本アルミで外側に腐食しない高力アルミニウム合金を使うこととして開発し完成しました。これにより、この高力アルミニウム合金は当社が開発しているスミカーにも導入することができました。

方針五の経営理念の徹底ですが、経営理念のその一のお客様と社会の発展に貢献するについては、技術革新には貢献してきていますが、人間的視点を見直し、病院の患者の待ち時間短縮と医療・介護従事者の肉体的、精神的負担を解消する手立てを検討しました。実際の病院では、受付から医者が患者を診察するまでの時間と診察後から会計するまでの時間が長く、病院に人があふれていることがあります。また、看護師がせわしなく病院内を右往左往している姿をよく見かけます。そこで、当社は、医療器具メーカーと協力して、自動受付会計機の導入を提案し医療器具メーカーはこの自動受付会計機をそれぞれの病院に導入を進めていきました。この機能は、診察券やスマホの二次元コードをかざすことにより受付し、必要であれば画面に、血圧や検尿などの依頼が出て、患者はそれに対応し、診察の順番を待つことになります。診察時は医師の診断は患者に話す内容をカルテに自動翻訳で記録し医師の手書き記入がなくなりました。そして診察終了後、会計は自動計算され、医師の診断が終われば、自動受付会計機ですぐに会計ができるようにしました。

また、経営理念に書かれている開発力・技術力で世界をリードするですが、すでに営業拠点がある米国のロサンゼルスとシカゴ、イギリスのロンドン、ドイツのベルリンとほかの国の代理店に、当社製品の利点や独自性をアピールするように指示を出しました。

そして企業内容や人間性を良くする企業風土を作り続けるために、各部署で行う安全衛生委員会で、一ヶ月四〇時間以上の残業時間をしている社員にヒアリングを行い、健康面の確認と効率の良い業務を行うようにして、取締役会でも時間外勤務の状況を確認し、時間外が多い管理者には指導を行うことにしました。また、社員には人と人を比較しないように、他人の良いところを見て自分も見習うような施策として、Ｇｏｏｄ Ｊｏｂ制度を導入し、その者を評価して表彰することとしました。

この三七期には、水素カセットタンクが米国のＧＮが当社の水素カセットタンクを標準品として使ってもらうことになり、米国で水素関連部門が大きく伸びて連結売上は五五〇〇億円まで伸びました。

この年の世相では、デジタル通貨の世界共通通貨の運用がスタートし、為替の影響を受けないで取引することができるようになりました。そのため、需給バランスで価格が決まり、貿易量が増加しました。それに加えて、海外からの観光客が増加しました。また、リニア新幹線が品川から名古屋まで開通し六七分で行けるようになり、名古屋東京間が通勤圏になりました。当初の計画では二〇二七年の開通だったのだが、静梨県知事の横槍で三年遅れとなりました。企業では、３Ｄプリンターが普及し、金型業界が縮小しました。そして、ジェットカーの販売が開始され、ドローン型のエアカーが飛び交う高さより、その上の領域をジェットカーが運行し始めました。

　反面、リスクとしては、世界各地で日照りや洪水、山火事、水没などの自然災害が発生し、日本も台風や線上降水帯被害で死傷者も出ました。世界各地の原油産油国から原油が枯渇し始めたとの情報がもたらされました。また、月旅行や宇宙空間ホテルなどの建設が進みましたが、宇宙空間にロケットの残骸が残り、時々地球に落下するものも出てきております。

# 第8章

# 第38期（2031年）
# 世界水準の達成

| 第37期（2030年）実績 | |
|---|---|
| 売上高 | |
| 連結売上 | 5,500億円 |
| セグメント別売上 | |
| 機械部品部門 | 2,150億円（+400） |
| 電気電子部門 | 880億円（+200） |
| 水素関連部門 | 2,470億円（+800） |
| 従業員 | |
| 6,000名 | |

第三七期は、世界的な好景気となり、連結売上は一四〇〇億円を増加させ五五〇〇億円となりました。

機械部品部門は、自動運転、水素エンジン自動車、ドローン型エアカーの市場が伸び、この関係のお客様向け売上が好調でした。また、スパイダーソフトを駆使してお客様同士を結びつけたことや、受注処理システムを改良し、使い勝手の良いシステムに改良したことで、お客様のニーズをつかみ売上が四〇〇億円増加しました。電気電子部門もロボットや自動化が進み二〇〇億円の売上増となりました。水素関連部門では、国内メーカーのほかに米国のGNが水素カセットタンクを使った水素エンジン自動車を販売したことにより売上が大きく伸びました。この期は好景気という追い風もあり売上を伸ばすことができましたが、これは競業他社も同じように売上を伸ばしてきたので、倉石社長は、競業他社に打ち勝つために三八期のテーマを「世界水準の達成」として次の五方針を打立てました。

方針一　世界統一規格の推進
方針二　常に先を読む開発力
方針三　世界的生産体制の見直し
方針四　住空間の製品開発
方針五　グローバル社員の育成

第三八期の経営計画説明会で倉石社長は、「今年は世界に打って出る年です」と話し始め、三八期のテーマの「世界水準の達成」について話し出しました。

「当社は、昨年米国のGNが当社の水素カセットタンクに連動した水素エンジン自動車を販売していただきました。これは、当社が世界水準に近づいていることを感じさせ、世界に打って出るきっかけだと思ったので今年のテーマを世界水準の達成にしました。このテーマでは達成基準がわかりませんのでどこまでやればいいのかと疑問に思うと思います。そもそも世界水準の基準は次から次へといろいろな企業がチャレンジしてきます。従いまして、私が思う世界水準というのは、世界の多くの企業がその製品や機能を使い続けているものだと思うのです。当社は、まだその入口に立ったに過ぎないので、これから世界中で使われる製品や機能の販路を拡大していかなければなりません。そこで具体的な方針を五つにまとめあげましたので、これからこの方針について説明します。

方針一の世界統一規格の推進ですが、世界に通用するためには、世界の多くの企業が共通して使ってもらわなくてはいけませんので、規格は統一する必要があります。では、どのようにするかですが、当社の規格品を多くの会社に使ってもらうことです。そしてその市場シェアの五〇％に達すれば世界水準に達したと言えると思います。そしてその五〇％以上を維持する必要があります。ですので、営業担当の山田取締役を中心に営業部署の皆さんには、当社製品を世界で五〇%以上のシェアに高めるように売上を伸ばしていただきたいのです。

方針二の常に先を読む開発力について説明します。これは、一言で言えば、現状に満足しないということです。科学は常に進歩しています。企画段階では最新の技術だったと思うのですが、完成品を見たら、他社では当社の一歩先に行っていたということもあるでしょう。ですので、開発品は完成して終わりではなく、その製品をさらに進歩させる方法があるのかなどを確認し、次世代の製品作りにつなげていっていただきたいのです。当社が先に行っていると思っていても他社は、すぐに追いついてきます。そして追い越す努力をしています。だから、その先を読む訓練をして実務に生かしていただきたいのです。

次は方針三の世界的生産体制の見直しですが、当社が世界水準を目指すに当たって、製造する場所（国）や運送コストなどを考慮しなくてはいけません。当社では、水面下で、機械部品についてはアメリカのシカゴとドイツのフランクフルトに、水素関連ではアメリカのロサンゼルスとイギリスのロンドンでそれぞれ現存する企業のM&Aを進めています。話がまとまれば一〇〇%子会社にして、当社製品の製造を任せるつもりです。アジアについては、タイを中心に対象先を絞り込んでいます。

次に方針四の住空間の製品開発ですが、当初核シェルターとして開発されたスミカーですが、移動する居住空間として少しずつ認知されてきています。車輪と自動運転の機能をつけて海や山に出かけていく人が増えています。この外壁材として開発した高力アルミニウム合金をほかの分野にも応用して販路を広げていきたいと思います。

最後の方針五のグローバル社員の育成ですが、通貨も共通化され、海外にも子会社を持つようになれば、社員の動きも国内だけの異動に留まらず、海外にも行って、当社製品を売ってきてほしいのです。そのためには、教育が必要です。できれば、海外でもスパイダーソフトを活用できるようになればいいなと思っています。私の考えでは、まずやってみることです。人選が終わったら、三ヶ月程度の準備期間を設けて送り出したいと思います。今は、どこでもテレビ電話が通じ、翻訳機能も進化して言葉には不自由しないようになっています。

いずれにしても、今年はトレンドアップの飛躍の年にしたい、そして少しでも多くの製品で世界標準に達したいと思いますので皆さんよろしくお願いします」と言って話を終えました。

第三八期は、前期からの好景気を引きずって順調に業績は伸ばすかに見えました。トレンドアップは計画した方針を各担当の取締役が配下の社員に命じ実施していきました。

方針一の世界統一規格の推進については、機械部品と電気電子部品について主だった製品群にわけ、その世界的シェアを外部調査機関に依頼して当社のシェアを確認しました。結果は、七〇%や八〇%の物もありますが、二〇%~三〇%の物が多くありました。そして、その製品群がよく使われている地域を割り出し、その近隣国で営業強化を図っていきました。水素関連については、米国のGNが導入してくれたことを他の自動車メーカーにもアピールして、導入の依頼を続けました。自動車メーカーからは、水素スタンドがいらないことや、カセットを変えるだけの時間ですぐに走れることが高評価を得ました。またこの水素カセットタンクは、自動車だけでなく家庭のガスボンベの代わりにもなること、コンビニでも販売することを説明したら導入に前向きな自動車会社が多くなりました。

方針二の常に先を読む開発力については、開発した完成図書に「更なる開発の視点」としてコメントを求め、開発担当者の先を読む力をつけさせていきました。このコメントの中から、今までの製品作りの考えにない新たな方法で新製品の開発につながったものが出てきております。

方針三の世界的生産体制の見直しは、四月から九月までの間で、アメリカのシカゴとドイツのフランクフルトの機械部品の製造会社を購入、水素関連ではアメリカのロサンゼルスとイギリスのロンドンで水素製造会社を購入しました。秋口にはタイの機械部品の製造会社の買収に入りました。

購入した会社は子会社化して、機械部品の製造会社は、当社の根幹部品の製造を行い、販売部署への供給基地としました。水素関連の子会社には、分離膜がいらないで、効率的に電気分解を行う方式に切替えコストを下げて、欧米の水素エネルギーを必要としている会社に販売していきました。

方針四の住空間の製品開発では、スミカーの開発と共に、BtoC向け製品の開発と高アルミ合金を使った外壁材の開発に取組んでいくこととしましたが、思うような新製品開発につながりませんでした。しかし核兵器が爆発した場合その火元では七七〇〇度の高熱が発せられますが、少し離れた場所でも高熱が降り注ぎます。そこを、高アルミ合金で覆えば被害は少なく抑えられるということから、お金持ちの住居にこの高アルミ合金を都心に向かった面に設置するところが出てきて、この外壁材が売れ始めました。

方針五のグローバル社員の育成は、すべてを日本からコントロールしていくには限度があります。グローバル化を進めればどうしても海外で活躍する人材が必要となります。現地の子会社社員やお客様との交渉も顔を合わせて進める必要がでてきています。そこで、当社では、海外赴任のルールを改定しました。たとえば赴任後五年までには帰国させ、海外赴任手当を優遇するとか、出向した子会社で管理職を経験してきた者は、日本に戻った場合、管理補職以上の役職につけることにしたことなどです。そして今期は一〇名の社員を子会社に派遣しました。

期の終わりには、タイの機械部品の製造会社の買収を行い、ドイツのＣＮＷ社が水素カセットタンクの取扱う旨の連絡がありました。しかし、一〇月にはイランがサウジアラビアに攻撃し第二次湾岸戦争に発展しました。この影響があり、期の後半が伸び悩びましたが、期末の連結売上高は前期比一二〇〇億円の増収となりました。

この期の世相は、環境の問題から森林産業に目がいき、森林が整備され始めました。科学分野では、ロケット並みの、超高速旅客機が運行し、宇宙空間のホテルから、月、地球への旅行が可能となってきました。当社の製品群に関係したところでは、ＥＶの充電器が短時間充電できるようになり、価格も下がり始めました。また、水素自動車のカセット化も進みました。

反面、リスクは、一〇月から始まったイラン・サウジアラビア戦争で、第二次湾岸戦争に発展しましたが、米国は、以前のような戦闘力に余裕はなくなり、一部はサウジアラビアに協力したものの、積極的ではなく、戦争は泥沼化してきています。また、アフリカ諸国やインド、インドネシアの人口が急増し、食糧難も出てきております。日本では一段と貧富の差が激しくなり、一部の富裕層と多くの貧民に分かれてきました。

# 第9章

# 第39期（2032年）
# 社長の交代、社内体制の再構築

**第38期（2031年）実績**

| 売上高 | |
|---|---|
| 連結売上 | 6,700億円 |
| セグメント別売上 | |
| 機械部品部門 | 2,530億円（+380） |
| 電気電子部門 | 1,010億円（+130） |
| 水素関連部門 | 3,160億円（+690） |
| 従業員 | |
| 6,800名 | |

三八期は、世界水準の達成を目指して活動し、機械部品と電気電子部品について主だった製品群の内、新たに世界シェア五〇%以上になった製品群は三六に及び、水素関連については、米国のGNが導入してくれたことを他の自動車メーカーにもアピールして、ドイツのCNW社他が水素カセットタンクの導入を決めてくれました。総じて機械部品部門と電気電子部門は世界的に認知され、水素関連部門も大手自動車メーカーがカセット水素タンクを使用するようになってきました。このことを踏まえ倉石社長は、次なるトレンドアップの成長を考えていました。そして、そのためには、新たな発想、新戦力の導入が必要と判断し、自分は社長から会長になり、経営実務から一歩引いて会社を俯瞰的に見て経営判断をしていこうと決意しました。そして三九期のスローガンを「新たな目標に向けて社内体制の再構築」としました。そして今期の方針を次の五つに決定しました。

方針一　新たなビジョンの設定
方針二　社内体制の再構築
方針三　原価低減策推進
方針四　次世代製品の開発
方針五　トレンドアップポリーシーの徹底

第三九期の経営計画説明会で倉石社長は「三八期に世界水準の目標を掲げて皆さんが努力

していただいたおかげで、自分としては目標を達成したと思っています」として、「社員の皆さんに感謝申しあげます」そして、次のように話を続けました。

「当面の目標がクリアしたので、これからは新たな目標にチャレンジしなくてはいけません。その新たな目標を設定する前に、私たちトレンドアップの周りの環境が大きく変わってきています。今まで思いもしなかったことが次々に明らかになってきています。このことから、今までの延長線上で物事を考えた場合、間違った結論を導き出すことになるかもしれません。そこで、今期六月の定時株主総会をもって私は社長の座を山田真一現営業担当取締役に引継ぎたいと思います。私は会長として、新山田社長をサポートしていきます。このことは、先日の取締役会で承認されたところです。

山田さんは、長年このトレンドアップの営業を引張ってきた方で、実績も、その人柄や見識も不足するものは何もありません。これからは、山田新社長のもとで新たなビジョンを打出して、新たな目標を設定しそれを実行していただきたいと思います。従って、今期の方針は、当面、山田社長の課題となる項目などを定めています。期の途中で変更になる可能性がありますが、現社長から見て今、行わなければならないことを五つの方針にまとめたので説明します。

方針一の 新たなビジョンの設定ですが、私はこれまで、世界でも名の知れた、あるいは通用する会社にしていきたいと強く願って、ここまできました。そして今、世界標準に達したと思われます。そこで、山田新社長には、次なるトレンドアップのビジョンを設定していただきたいと思ってこの方針にしました。世界標準のビジョンはわかりやすく目標が立てやすかったけど、次なるビジョンはなかなか難しいものがあります。そこは、山田社長のリーダーシップに期待したいと思います。

次に方針二の社内体制の再構築ですが、トップが代わったのですから、これからは山田新社長が思う存分に力を発揮できる社内体制にしていただきたいのです。ここのところは山田社長よろしくお願いします。

次は方針三の原価低減策推進ですが、当社はここのところ、営業力強化や開発力強化に力を入れてきましたが、新たなビジョン構築に当たって、製造業の原点に戻って、原価管理や原価低減に注力したらどうかと思い方針に盛り込みました。原価低減は製造業の永遠のテーマであり、当社も、山崎取締役を中心に取組んできたことは存じていますが、今期は、製造現場だけで考える原価低減でなく、全社をあげて原価低減に取組んだらどうかと思い、この原価低減を方針に盛り込んでいます。私が思うところでは、営業がお客様との交渉の中で、価格だけでなくＶＥ・ＶＡにつながる情報や意見を吸上げ、社内に取組む運動を、また調達部門においても旧製品のバージョンアップ情報などをいち早く当社製品に取組む仕組みを作ることなどです。

方針四の次世代製品の開発ですが、ここは、方針一のビジョンとつながる可能性があります。

ここでは、今、世の中にないと言っていい価値や価格の製品で、言ってみれば未来の製品を開発して行こうというものです。西峰開発担当取締役は、これからの世の中がどうなるのか、それにより必要な製品は何かを、配下の皆さんと考えて、開発品を絞り込んでいただきたいと思います。

そして方針五のトレンドアップポリシーの徹底ですが、社長交代の期にこれも変えてもいいと思いますが、まずは、今まで掲げてきたこのポリシーが守られてきたかどうか検討から入ったらどうかと思います。経営理念とポリシーは私が会社を立ち上げるときに考えたものです。経営理念は、シンプルで覚えやすく、今までこれに則って、経営をしてきて間違いがなかったと自負していますので、これは変えずに、ポリシーを見直したらどうかと思い方針に盛り込みました。

いずれにしましても、これから山田新社長のもとで、このトレンドアップを大きく変えて、更なる飛躍をめざし、この先一〇年程度のビジョンと目標を立てていただきたいと思います」

とのことで、経営計画説明会を終了させました。

この三九期は、期初から社長交代の準備に追われましたが、山田新社長は、その中でも一〇年先のビジョンを必死に考えました。そして導き出したビジョンは「取引先から信頼される企業になる」でした。ここでは、お客様、仕入取引先、銀行など関係取引先を含めて取引先としました。

役員人事については、倉石が代表取締役会長、山田が代表取締役社長に就任し、営業担当取締役として鈴木浩二と佐々木智也の二名が営業担当取締役に就任することとなりました。

山田社長は、取締役会で当面一〇年先のビジョンとして「取引先から信頼される企業になる」を発表して、取締役全員の理解を得ました。これで、倉石会長が立てた方針一の目標はクリアしました。株主総会の翌日、山田新社長は八時三〇分に全社員に向けて社長就任挨拶を行い、その中でこのビジョンを全社員に披露しました。その話の中では、取引先からの信頼があれば、取引もスムーズに行き、失敗したときも大きなマイナスにはならないことと、信頼を勝ち取るためには、普段から相手を思う気持ちが大切であること。そしてこの信頼は継続していかなくてはいけないことを強調しました。山田社長はこのビジョンを基に第三九期のテーマを「この先一〇年の新たなスタート」としました。

そして、方針二の社内体制の再構築では、製品セグメントを機械部品部門と電気電子部門を合わせてソリューション部門とし、水素関連部門と二つに集約しました。そしてその二つの部門の責任者を、ソリューション部門は鈴木浩二取締役が担当、水素関連部門は佐々木智也取締役に担当させました。

方針三の原価低減策推進は、山崎製造・調達担当取締役が、次の二つの大きな方針を打ち出していて、今期はこの二つを実行することとしました。その一つは、掛川工場と、アメリカのシカゴとドイツのフランクフルトの製造子会社の自動化やロボット化です。前期まで自動化が進んできていますが、あと三年で総仕上げをして製造体制の見直しを完成させるとしています。もう一つは、ＶＥ・ＶＡです。これは西峰開発担当取締役と山崎製造・調達担当取締役が協力して、当社グループの工場だけでなく外注や協力工業に対しても見直すように取組むこととしました。

方針四の次世代製品の開発については、開発担当者が集まって議論した結果、宇宙や月、水中など新たな住空間の開発、無人エアカーやジェットエアカーによる新ロジスティクスの開発、と水素を活用した新ビジネスの開拓が話し合われ、西峰開発担当取締役が開発の方向性を打出すことが発表されました。

最後の方針五のトレンドアップポリーシーの徹底については、予定通り次の六項目が実際に実施されているか確認し、ポリシーに合った経営を目指すことにしました。

①品質、安全第一
②情報の集約、即決
③判断は困難の方を選ぶ
④目標は高きに置く
⑤お客様とはウィンウィンの関係
⑥細かいところに気を配る

こうして三九期は山田新社長体制がスタートしました。

この期においては、山田新社長は、倉石前社長が打出した方針を引継ぎ、会社経営を実施しました。

まず、方針一の 新たなビジョンの設定ですが、山田新社長が新たなビジョン「取引先から信頼される企業になる」を打出し、そのためには、「取引先をよく知り、何を求めているかを確認し、アフターフォローもしっかり行うことが大切」だと、トレンドアップグループ全社員に発表しました。

方針二の社内体制の再構築ですが、製品セグメントをソリューション部門と水素関連部門の二つに集約し、その二つの部門の責任者を、ソリューション部門は鈴木浩二取締役が担当、水素関連部門は佐々木智也取締役に担当させました。この二人の取締役は、それぞれの事業部会議で、現状確認から始め、その事業部で、良い点と悪い点を導き出し、良い点はもっと良い点を伸ばす施策を、悪い点は、その改善策をたてて、事業を進めていきました。

方針三の原価低減策推進は、山崎取締役が打出しました、掛川工場と、アメリカのシカゴとドイツのフランクフルトの製造子会社の自動化やロボット化ですが、装置化により自動化できるものや、人間が行っているものでロボットに代替させるものに分け、トラブル対応など人間にしかできないことだけを人間がやるようにしました。ただすぐにすべてはできないので三年計画で進めていきました。もう一つのＶＥ・ＶＡですが、約一〇〇〇の対象アイテムを見直すことにしました。中には、現状製品が最適なものもありますが、多くは、素材の変更や違う製品での代用でコストを抑えていきました。

方針四の次世代製品の開発については、開発担当者が集まって議論した結果、宇宙や月、水中など新たな住空間の開発を行いました。それは、スミカーを基本として蓄電池で水を電気分解して水素を作り、この水素をジェットエンジンに投入して移動させることに使い、電気分解して出る酸素は、スミカーの中で人が生きるために使われるもので、このコストを抑えて使えるように開発していきました。また、無人エアカーやジェットエアカーによる新ロジスティクスの開発は、無人エアカーやジェットエアカーに積込む三種類の大きさのカセットタンクを開発し、そのカセットタンクは自動積み込みができるようになっているものにしました。また配送先まで自動運転で配送するように、GPS、センサー、小型レーダーにより衝突を避けるようにしました。

水素を活用した新ビジネスの開拓は、エネルギーだけでなく、日々の生活で体に活性酸素が溜まりますが、それを水素で無毒化することができるなど、健康にも良いことがわかっています。したがって、水素を人間生活で使えるように研究開発を進めていきました。

最後の、方針五のトレンドアップポリーシーの徹底は、佐川管理担当取締役が六項目のポリシーについて、社員が実行しているかどうかを調査しました。結果は次のとおりでした。

① 品質、安全第一は、コンプライアンスと事故防止を徹底し、一人に権限が集中しないように権限の分散とダブルチェック体制を図ったので、大きな不祥事にならない体制ができていると思われますと報告がありました。

② 情報の集約・即決は、エリア事業部の営業や調達、お客様相談窓口など外部と接触のある部署は、苦情や感謝の言葉など外部からの情報は、良いことも、悪いことも、関係ある他社情報などを、スパイダーソフトの外部情報欄に登録すると自動的にクレーム情報やグッド情報、バッド情報に仕分けされ、グループウェアに登録され、分析も

されて社内に公開されます。重要な情報は、直属の上司や関係部署の上司に回り、決裁が必要な場合はほとんどが翌日には決裁される仕組みになっています。さらに経営に重要な情報や決断が必要な場合は、山田社長が緊急で取締役会を開催することもできるようにしました。

③ 判断は困難の方を選ぶは、これは管理者、経営者の考え方の方向性を示したもので、迷ったときにはこのポリシーに沿って判断していると報告がありました。

④ 目標は高きに置くですが、これは、毎期の数値目標だけでなく、事業推進の中で、新たな製品を売出すとか、新たな事業展開をするときに、一年後に達成できそうな目標ではなく、五年先、一〇年先くらいの目標設定をして、それをたとえば三年で達成させるために、今年何をするかの目標を立てることにすれば、高い目標にチャレンジし、達成できれば、大きな達成感があると思われ、社員の強い意思を感じたそうです。

⑤ お客様とはウィンウィンの関係は、自分の会社、自分だけが良ければ良いという考えを排除するものですが、倉石会長や山田社長の指導の下、コストダウンで利益が出た場合は、製品価格を引下げることや、納期が厳しいお客様に対し、できる範囲で納期を短くする努力結果を説明して、お客様の理解の上で取引を進めてきています。外注企業や協力企業に対しても、協力できなければ取引をしないなどと、脅かしてコスト

ダウンや納期短縮を迫るようなことはしていないと協力会社の数社から話があったとのことです。まさにトレンドアップはお客様や取引先とウィンウィンの関係を築いています。

⑥　細かいところに気を配るについては、山田社長の指示で、営業と調達は、取引の中でありがたいとか、対応がすばらしいと感じたときに、それを手紙にして相手の会社に送るようにしています。これを始めてからは、相手の会社の、社員の動きをよく見るようになっています。

そして、少しのことでも感謝するようにしていますので、相手の会社の社員からすれば、トレンドアップの社員は細かいところまで気を配ってくれているといわれています。

結果、方針五のトレンドアップポリシーの徹底はされつつあると思われますが、これを続けていくのが大切だと調査会社の人がいっていました。

第三九期の活動はこのように期初に倉石前社長が立てた五つの方針を山田新社長が引継ぎ実行してきました。そして、連結売上は、水素関連部門が好調に推移して八〇〇〇億円まで伸ばすことができました。

この年の世相は、工場や建設現場での機械装置の自動化が進み、合金を含めたアルミフレームやパネル需要が急増しました。そして、月のホテルが運用開始し、日本では、高層化マンション建設ラッシュとなり、上層階にはエアカーの駐車場もあるマンションも販売されました。

リスク面では、橋やビルの老朽化が進み倒壊などで被害が続出しました。九州で大規模地震が発生し、半導体産業など製造業の部品調達が不自由になりました。ジェットカーの事故が多発し、自動運転強化、安全ルールの見直しが求められました。

第10章

# 第40期（2033年）
# 安定成長の布石

第39期（2032年）実績

| 売上高 | | | |
|---|---|---|---|
| 連結売上 | | 8,000億円　期末に1兆円達成 | |
| セグメント別売上 | | | |
| ソリューション部門 | | 4,100億円（+560） | 5,150億円（+1050） |
| 内訳 | 機械部品部門 | 2,900億円（+370） | 3,550億円（+650） |
| | 電気電子部門 | 1,200億円（+190） | 1,600億円（+400） |
| 水素関連部門 | | 3,900億円（+740） | 4,850億円（+950） |
| 従業員 | | | |
| 7,900名 | | | |

三九期は、世界水準を達成したとして倉石社長が会長になり、後任社長に山田取締役が昇格しました。

そして、山田新社長は、セグメントをソリューション部門と水素関連部門の二つに集約し、役員に新たに二名の取締役を就任させ、ソリューション部門は鈴木浩二取締役が、水素関連部門は佐々木智也取締役に担当させました。そして会社方針については、基本的には倉石前社長が敷いた路線を引き継ぎました。機械部品部門と電気電子部門の業績は、主な製品群が世界シェア五〇％以上になったことに弾みがつき、機械部品部門で三七〇億円、電気電子部門で一九〇億円の前年比売上を増加させました。水素関連部門は、エネルギーとしての水素が活用される幅が広がりカセット水素タンクと合わせ七八〇億円の売上増と大きく増収となりました。

この結果を踏まえて、山田社長は、四〇期のスローガンを「売上一兆円の達成と大企業の自覚」を打ち出しました。そして、行動目標を立てる指針として次の五つの方針を社内に発表しました。

方針一　売上一兆円への挑戦
方針二　大企業としての社会的責任
方針三　経費削減策の推進

方針四　小型水素ジェットエンジンの開発
方針五　協調する社内文化の醸成

経営計画説明会は、山田社長に代わっても実施することにして、説明会の会場で、山田社長は、同席している倉石会長に、長年の社長の労をねぎらい、今年から経営を担う山田社長の経営方針を発表しました。

「連結売上が一兆円を伺えるところまできましたが、喜んでばかりいてはいけない。こういう時こそ基本に戻って、経営理念やポリシーを見返し、経営の舵を切っていかなければならない。

特に、基本を逸脱し、ルールを守らないほんの一握りの社員が行った行動が、コンプライアンス違反や社会常識からはずれた行動として批判され、行政罰や事業停止などとなり、社会から消えていく会社を数多く見てきています。このようなことにならないよう注意していきます。

一方、業績発展に向かっては、将来の動向を注意深く分析しながら、方向性を決めたなら大胆に手を打って行きたいと思います」と話しました。そして、今期の方針として示した五つの方針について次のように説明しました。

「方針一の売上一兆円への挑戦は、今期、連結売上一兆円を達成するように、各事業部が予算を達成するよう頑張っていただきたいと思います。新たなソリューション部門では、今までの機械部品部門、電気電子部門が連携して売上を伸ばしていただきたいと思います。特に、鉄からアルミへのシフトは多いに進みましたが、新たなアルミ合金分野での製品が伸びてきています。また樹脂系の製品も、耐熱や強度を高めた部材が多く開発されてきていますので、これらをスパイダーソフトで必要としているお客様に、タイムリーにセールスし、売上につなげていっていただきたいと思います。当社のこのスパイダーソフトは、すでに一〇年は経過していますが、担当者が情報の更新を行っていて、機能もバージョンアップしてきているので、データは競業他社と比較して優位にあると思います。

方針二の大企業としての社会的責任ですが、納税や企業活動において、社会の繁栄に貢献しているのは事実ですが、大企業ともなれば、それだけでなく、環境やスポーツ振興、地域貢献なども必要となります。ここのところは、佐川管理担当取締役主導の下、良い施策があれば進めていただきたいと思っています。これらは会社が対応すべきことですが、社員の皆さんにもお願いしたいことがあります。それは、社員の皆さんが不祥事に加担した場合には、中小企業の場合には、個人名しか報道されませんが、大企業になれば、大手企業トレンドアップの……と会社名が公表され、それを見た人は、その会社の人はそのような不祥事を起こす会社なんだと思うのです。たとえば飲酒運転や煽り運転、セクハラ、パワハラなどです。

ですので、ここで私が社員の皆さんにお願いしたいのは、このようなことを起こさないために、社内全部所で社会的責任の啓蒙活動を実施していただきたいのです。

次は方針三の経費削減策の推進です。昨年は原価低減策を推進し、成果が出たところですが、今期は販売費・一般管理費の経費削減に取組んでいただきたいのです。数多くの勘定科目がありますが、各部署でそれぞれ、その科目ごとの内容を見直ししていただきたいのです。

方針四の小型水素ジェットエンジンの開発ですが、エネルギー源が電気と水素の二つに絞られてきましたが、家の中や、近くの移動など少ないエネルギーで済む場合は電気の活用で、大きな動きや遠くへの移動は、これからはジェットエンジンの時代が来ると予想されます。宇宙ロケットの場合はロケットエンジンを使いますが、ジェットエンジンとの違いは、ロケットの場合は空気を取り込まない噴射のようなエンジンで、ジェットエンジンは空気を取込み空気を吐き出すことで推進するエンジンです。たとえば、ジェットエアカー、ジェットモノレールカー、空飛ぶ人間などです。

最後の方針五の協調する社内文化の醸成は、社員の皆さんが同じ方向を向き、お互いに協力し合うことで、働く喜びを感じて、このトレンドアップで働いて良かったと思えるような社内文化を築きたいのです。そのためには、各部署で毎月実施する勉強会で社内文化の醸成を話し合っていただきたいのです。そして、その中で、良い案が出ればそれを実行していきたいと考えています。

いずれにしましても、今期は、トレンドアップ設立四〇年ですので、更なる五〇年に向けて安定成長の布石をして行きたいと思いますので皆さんのご協力をお願いします」といって説明会の社長挨拶を締めくくりました。

こうして、四〇期がスタートしました。

この期の世相としては、イランとサウジアラビアの第二次湾岸戦争は、両国とも戦費が嵩み国内経済が悪化したため、一般市民からの反発が強まり、停戦合意がなされ終結しました。

台風の勢力を抑える方法として大量のドライアイスをまいて、海中から大型扇風機のようなものを回転させ海面をかき混ぜて温度を下げる、あるいは、台風の渦に向かって氷を散布するなどして台風の熱源を冷ます方法が確立されてきました。また、地球温暖化対策として、地上の砂漠地帯に人口雨を降らし、草木が伸び始めてきました。ジェットカーと核シェルターのスミカー及び水陸両用車が普及してきました。

リスク面では、中国が東アジア領有権の問題で、ベトナム船籍の船と中国海警局の船が接触し、中国ベトナム間で大砲の打ち合いが始まり、それを擁護したフィリピンもベトナム側につき中国対ベトナム・フィリピン連合軍とで東アジア戦争が勃発しました。

米国は、自国優先主義の大統領が就任し、ベトナム・フィリピン連合軍への協力は控えめで形だけの協力に留まりました。日本との防衛協力も薄れ、日本の防衛力強化が必要となりました。

科学技術面では、ロケットやエアカーが世界中で生産され、品質の悪いものも出回り、事故が多くなってきました。

このような中、トレンドアップでは、山田社長が打ち出した五つの方針をそれぞれの部署が実施していきました。

方針一の売上一兆円への挑戦は、各事業部が予算を達成するように頑張り、目標達成できないエリア事業部やセグメント部門では互いに補完し合いながら目標に向けて頑張っていきました。結果、全社連結売上は目標に達することができました。

方針二の大企業としての社会的責任は、社内全部所で社会的責任の啓蒙活動を実施しました。その報告では、他社の不祥事の過去事例を材料にして話し合いを行い、パワハラは、相手を思いやることや、立場が逆になったらどう思うかなどを話し合いました。特に会社に大きなダメージとなる安全性に関する偽装問題や、セクハラ、大きな労災事故など、これらが発生しないように注意するとありました。

方針三の経費削減策の推進は、次のように進めました。

一番大きな成果をあげたのは、人件費の時間外削減でした。これは、次の社内ルールを徹底しました。①会議は、一回三〇分以内　②参加者は必ず一回は発言する。発言しないものは議事録を提出させる　③定時間内で働くのではなく、その日の目標を達成し帰宅する。時間が余る場合は、成果を挙げるために何をするかを考える、または、働きやすい職場にするなどです。

④一五時以降は、ほかの部署への依頼事項は行わない　⑤つき合い残業はしないなどです。

二番目は、運賃です。この削減は、同じ会社宛で梱包個数が多いお客様向けは、梱包数を減らすことと、エリア事業部別に自社便トラックで運送することにしました。

三番目としては、旅費で、どうしても出張先に行って行うことがある場合以外は、テレビ会議で済ませるようにしました。主なものはこのようなもので、経費削減は大きな成果をあげました。

方針四の小型水素ジェットエンジンの開発については、今までトレンドアップはエンジンまで手を出してこなかったけれど、水素供給だけよりも、エンジンについても研究する必要性を感じ、エンジンの開発に取組んできました。結果は、エンジンの試作品を自社生産したところまでが今期の実績でした。

方針五の協調する社内文化の醸成は、毎月、各部署で協調する社内文化の醸成を話し合いました。その報告書には、協調することでトレンドアップの社員であることを感じましたとか、コミュニケーションが図れて、他の社員の考えが聞けましたとか、友達が多くなりました、などがありました。

こうして第四〇期の期末日を迎え、連結売上はなんとか一兆円に到達しました。山田社長は、期末の打上げで今期のテーマ「売上一兆円の達成と大企業の自覚」はなんとか達成できたと発表しました。そして社員に向かって、「トレンドアップは大企業の仲間入りを果たしました。社員の皆さんも大企業の社員としての自覚を持ちましょう」と乾杯の音頭をとって全社員で祝福しました。

■笹川俊之（ささがわ　としゆき）

1954年1月静岡県袋井市生まれ、静岡県立袋井商業高校を卒業後
1972年4月第一勧業銀行（現みずほ銀行）入行、2003年3月同行退行
2003年4月より柏調理師専門学校で調理を学び調理師免許取得
2004年7月にSUS株式会社入社、監査役、取締役、常勤顧問を経て
2024年1月退職
著書　『我らの殿様』（文芸社）

# 未来予想ストーリー
# 企業の成長編

2024年4月15日　第1刷発行

著　者　笹川俊之

発行者　太田宏司郎

発行所　株式会社パレード
大阪本社　〒530-0021　大阪府大阪市北区浮田1-1-8
TEL 06-6485-0766　FAX 06-6485-0767
東京支社　〒151-0051　東京都渋谷区千駄ヶ谷2-10-7
TEL 03-5413-3285　FAX 03-5413-3286
https://books.parade.co.jp

発売元　株式会社星雲社（共同出版社・流通責任出版社）
〒112-0005　東京都文京区水道1-3-30
TEL 03-3868-3275　FAX 03-3868-6588

装　幀　藤山めぐみ（PARADE Inc.）

印刷所　創栄図書印刷株式会社


ISBN 978-4-434-33827-4　C0093